Hommage de l'autre

Montréal, 24 Avril 1983

PAGE-COUVERTURE

Une nouveauté: Vous fabriquez vous-même vos serviettes de table;
et avec le même tissu, vous créez des fleurs pour votre milieu de table.
Il suffit d'un peu de coton, de tiges, de fil et d'aiguilles. Vous pourrez
piquer vos fleurs dans un petit jardin de galets et de plantes séchées.
Ici, les ustensiles sont disposés en vue de commencer le repas par le
plat principal, qui sera suivi d'un service de fromages plus élaboré.

L'ART DE LA TABLE

Couverture

- Maquette:
  MICHEL BÉRARD

Maquette intérieure

- Conception graphique:
  ANDRÉ DURANCEAU

- Schémas:
  MICHEL BÉRARD

Photographies

- La Baie
- Ferroni Inc.
- Decorative Plants Inc.
- CIP Studios Ltd
- Henry Koro Photographers

DISTRIBUTEURS EXCLUSIFS:

- Pour le Canada:
  AGENCE DE DISTRIBUTION POPULAIRE INC.*
  955, rue Amherst, Montréal H2L 3K4 (tél.: 514-523-1182)
  *Filiale de Sogides Ltée

- Pour la France et l'Afrique:
  INTER-FORUM
  13, rue de la Glacière, 75013 Paris (tél.: 570-1180)

- Pour la Belgique, la Suisse, le Portugal, les pays de l'Est:
  S.A. VANDER
  Avenue des Volontaires 321, 1150 Bruxelles (tél.: 02-762-0662)

MARGUERITE
DU COFFRE

L'ART DE
LA TABLE

TRADUIT DE L'ANGLAIS
PAR MIREILLE LEMELIN

LES ÉDITIONS DE L'HOMME *

CANADA: 955, rue Amherst, Montréal H2L 3K4

*Division de Sogides Ltée

©LES ÉDITIONS DE L'HOMME,
DIVISION DE SOGIDES LTÉE

Tous droits réservés

Bibliothèque nationale du Québec
Dépôt légal — 4e trimestre 1975

ISBN-0-7759-0472-4

Ma Philosophie

L'art de la table, ce n'est pas seulement l'art de dresser joliment la table — c'est beaucoup plus que cela. L'art de la table sous-tend toute une philosophie de la vie. Il suppose le partage, l'amitié, la communication, et, en ce sens, c'est un pas en avant vers la fraternité, l'amour et la paix.

Remerciements

Pendant plusieurs années et spécialement au moment de la rédaction de ce livre, des amis et des étudiants de mes cours m'ont encouragée et aidée à la préparation de ce volume. Des experts m'ont donné leurs conseils afin d'en faire un guide vraiment utile dans notre vie contemporaine.

Un grand écrivain européen a dit un jour: «Un homme qui a perdu son pays, a perdu ses amis, sa maison, ses biens et quelquefois sa famille. Mais un auteur qui perd son pays a tout perdu, parce qu'il a perdu sa langue.»

Voilà pourquoi je suis profondément reconnaissante à la traductrice de ce livre, Mademoiselle Mireille Lemelin, pour son bon travail et son aide.

Mes remerciements vont aussi à LA BAIE et à FERRONI INC. Ces deux entreprises m'ont grandement aidée au cours de ces trois dernières années.

Enfin un merci tout spécial à mon grand ami Me G. George Sand, pour ses précieux conseils.

Introduction

On aurait pu intituler ce livre: *l'Art de recevoir,* ou encore: *l'Art raffiné d'un dîner réussi.* Mais nous sommes tom-
bés d'accord sur un titre qui englobe toutes ces connaissances et d'autres tout aussi précieuses.

L'Art de la table, c'est l'art de dresser et décorer la table,
de préparer les cocktails, de servir les vins, de planifier ses
menus, de recevoir à domicile comme au restaurant, de connaître les bonnes manières, l'histoire de la vaisselle et de
l'argenterie, aussi bien que la façon d'arranger les fleurs et
d'être attentif à ses invités.

L'art de la table ne s'applique pas seulement lors de vos
réceptions. Il doit faire partie intégrante de votre art de
vivre, de jour en jour. Un repas très simple peut être trans-
formé en une délicieuse aventure, chaque fois renouvelée,
et le temps des repas devrait être illuminé par votre charme
et votre grâce. Nos enfants doivent respecter les aliments
et connaître les bonnes manières à table. Mais ils ne peuvent apprendre ces choses que si elles leur sont ensei-
gnées ... et c'est vous les premières éducatrices.

Une décoration, un service simple et correct qui repose
sur le confort, le plaisir et la courtoisie dus à ceux que vous
accueillez autour de votre table ... et l'harmonie est garan-
tie.

La table ... un lieu de rendez-vous

L'art de mettre la table est d'une très grande importance pour le bon moral de chaque famille. Dans notre monde de plus en plus affairé, il devient terriblement difficile de réunir tout son petit monde. La table devrait donc être le lieu de rendez-vous de la famille, au moins une fois par jour.

Dans bien des foyers, le repas demeure le seul moment, et la table le seul endroit, où l'on peut échanger des idées et entretenir une conversation valable. C'est souvent le seul temps où toute la famille se rencontre et où les enfants voient leur père détendu et prêt à les écouter. La responsabilité de l'atmosphère créée autour de la table repose entièrement sur les épaules de la maîtresse de maison — l'épouse et la mère —. Elle assure la « mise en scène » pour que cette réunion familiale soit heureuse et détendue. Elle fait de même pour ses invités, lors d'une réception. Elle influence, bien sûr, les habitudes alimentaires de ses enfants et leur enseigne les bonnes manières à table, en ajoutant des éléments de beauté à cette table et en faisant de chaque repas, un événement important. Un bel environnement influence le comportement et le mieux-être de toute la famille.

Les enfants qui apprennent les bonnes manières dès l'âge tendre ne les oublient jamais. Ils seront mieux préparés au moment où leur situation sociale requerra un comportement et des manières relevant de la bonne éducation. Une épouse avisée peut corriger, avec tact, certaines mauvaises habitudes de son mari, à table, et elle peut l'aider à gravir les échelons du succès, par ses connaissances dans l'art d'inviter, de recevoir, de se vêtir, de converser et de bien se comporter en public.

Tout ceci, bien sûr, requiert une grande discipline personnelle. Un manque de discipline signifie un manque de respect de soi.

Un peu d'imagination

Une table joliment mise et décorée illumine le plus modeste repas. Cela ne requiert pas de folles dépenses. Une simple fleur, un objet brillant, des serviettes de table de couleur, peuvent souvent transformer un environnement pultôt terne. Point n'est besoin de luxe ni d'extravagances.

Recevoir à dîner est une occupation plaisante, souvent créatrice et satisfaisante. Elle allie agréablement l'art de dresser la table, l'art de la décoration et celui de la bonne cuisine.

Mais cela implique également quelque chose de bien plus important: la joie d'ouvrir sa porte et son coeur pour accueillir des amis dans sa maison.

Un monde sans frontière

Il est d'une grande importance dans notre société multiculturelle et multilingue, de connaître le comportement, les habitudes et l'étiquette de tous les groupes de cette société. Ce n'est qu'en apprenant à connaître les autres, que nous serons capables de vivre tous ensemble. L'avion nous emmène autour du monde en quelques heures. On ne peut plus parler d'étiquette européenne, américaine ou canadienne. Nous devons savoir comment nous comporter et bien agir dans n'importe quel pays.

Il en va de même pour les manières à table. Elles doivent convenir n'importe où. L'*Art de la table,* avec l'étiquette internationale, est l'unique réponse.

Je crois fermement que l'étiquette de la table et peut-être même tout genre d'étiquette se doit d'être modernisée, universalisée; ou si vous préférez, uniformisée et rendue valable pour tout le monde. Je vais donc essayer ici de coordonner l'étiquette nord-américaine et la continentale; de marier l'étiquette de la table, avec l'art de mettre la table, de la décorer, de l'aménager, de façon à ne présenter qu'une seule formule: *l'art de la table au service de tous!*

Toutes les règles d'étiquette décrites dans ce volume, sont basées sur des standards acceptés internationalement. Elles réunissent le comportement de bon aloi, la beauté, la simplicité et le sens commun.

Table ronde ou carrée

L'art de la table, au vrai sens du mot, commence avec la décoration de la table et s'intègre au design et à la décoration intérieure.

La desserte. Placée tout près de l'hôtesse, la desserte permettra de servir et desservir les invités sans les déranger par des allées et venues continuelles.

Tous les éléments et les principes d'une bonne décoration se retrouvent dans cet art exquis de bonne compagnie.

La dimension et la forme de votre salle à manger et de votre table, par exemple, affectent la manière dont vous aménagerez vos meubles et choisirez votre vaisselle, vos ustensiles et votre service de verres.

Vous devez aménager votre salle à manger tant pour le coup d'oeil que pour le confort. Vous devez vous réserver de l'espace, pour y véhiculer certains accessoires. C'est-à-dire que le buffet, la table, la desserte doivent être disposés de façon à ce que l'hôtesse puisse avoir un accès facile à la cuisine, sans déranger ses invités au passage. Il est de la plus haute importance de maintenir un climat de paisible harmonie autour de la table. Evitez des pas inutiles et n'interrompez pas à tout moment la conversation par vos déplacements subits. Il en sera question au chapitre II, *Servir un dîner sans domestique.*

Pour réussir une soirée harmonieuse, la desserte et le buffet deviennent les pièces les plus importantes de votre ameublement lorsque vous recevez à dîner sans aide.

Tout ceci démontre que la décoration de votre pièce, la disposition des sièges et des couverts sont à la base de l'art de la table et d'une réception réussie.

Changer d'atmosphère

Les changements apportés à la décoration de votre table reflètent un changement de routine dans votre vie. Quand vous voulez changer d'atmosphère, il est beaucoup plus facile et moins coûteux de changer l'aspect de votre table, que de renouveler toute la pièce ou votre garde-robe. Nous devrions, par conséquent, le faire plus souvent et nous réjouir à la pensée stimulante de créer quelque chose de nouveau, d'excitant ... et de peu coûteux! Cela rend les réceptions plus amusantes pour vous et pour vos invités.

Changez la décoration de votre table et créez une nouvelle ambiance: originale, moderne, romantique, typiquement canadienne, antique. Donnez à votre table un aspect chaud et reposant, avec ou sans nappe, ou en utilisant des napperons par exemple. En un mot, tout ce qui peut s'harmoniser avec votre idée du jour.

Des goûts et des couleurs ...

Faites usage de la couleur pour transformer votre salle à manger ou votre espace-repas en un havre attirant pour vos réunions familiales ou sociales. Le choix d'une harmonie de couleurs est matière de goût personnel. Cependant, voici quelques principes de base pour vous faciliter la tâche.

— N'employez pas trop de couleurs différentes.

— Choisissez de préférence une couleur claire à une couleur foncée.

— Les couleurs chaudes conviennent à une pièce exposée au nord.

— Les couleurs fraîches iront bien dans une pièce exposée au sud.

— Les couleurs claires sont plutôt des couleurs de base.

— Les couleurs foncées apporteront l'accent.

— Les couleurs chaudes sont: jaune, orange, brun, rouge. Mais soyez prudent avec le rouge. Trop de rouge obscurcit la pièce ou la table.

— Les couleurs fraîches sont: bleu, vert, gris et blanc.

— Le métal or va avec les couleurs chaudes.

— L'argent va avec les couleurs fraîches.

Une décoration basée sur une couleur unique, mais utilisée en dégradé, en nuance d'intensité, peut procurer un effet inhabituel, très heureux. Ce procédé de décoration est appelé *monochromatique,* du grec: mono (un), et chromos (couleur). C'est un moyen facile et sûr en décoration.

J'ai vu une table décorée dans différents tons de blanc, fleurs comprises. C'était superbe et tellement différent!

J'aime personnellement un milieu de table fait de roses et d'oeillets rouges, sans verdure aucune, mais dans des tons dégradés de rouge. C'est une façon très élégante de décorer les tables les plus officielles.

De l'antiquité aux temps modernes

Une autre façon, plus sophistiquée, de décorer un intérieur ou une table, c'est d'utiliser le noir et le blanc avec une couleur vibrante. La combinaison du noir et blanc est historiquement classique et l'addition d'une couleur éclatante, une variation moderne.

Le blanc et le noir ont été des favoris, depuis les temps reculés de *l'Empire romain.* Le marbre italien était utilisé en quantité industrielle à cette époque. L'*empereur Adrien* employa ces deux couleurs pour sa villa en banlieue de Rome. *Catherine de Médicis* en fit la base de sa décoration dans la plupart des châteaux qu'elle fit bâtir en France. *Josiah Wedgwood,* à la fin du 18e siècle, créa de très beaux bols et des théières en basalte noir, enjolivés de motifs grecs, classiques, en blanc. Les originaux de ses créations peuvent être admirés dans certains musées. On peut s'en procurer des reproductions, mais en porcelaine seulement.

Durant quelques années, les designers et les décorateurs américains ont prêché la multiplicité des couleurs. Plus il y en avait, mieux c'était! Décorer selon ces critères était très en vogue et produisait un effet de ... surpeuplement. Mais il manquait alors ce dont on a le plus besoin dans une pièce, ou autour d'une table: le sens du repos. Oui, nous avons besoin d'être stimulés visuellement en entrant dans une pièce. Mais les vrais décorateurs devraient réussir à créer en même temps, une atmosphère de détente, particulièrement autour de la table. Une table surchargée apporte la confusion et n'est pas jolie.

Alors, dans les années 50, un groupe de concepteurs et de décorateurs, parmi lesquels figuraient *Cecil Beaton, William Baldwin, Ruby Ross Wood* et plusieurs autres, introduisirent le blanc et le noir, mariés à une couleur vibrante. Aujourd'hui, les décorateurs des deux côtés de l'Atlantique utilisent les mêmes principes.

Orange brûlé, vert clair et rouge sont très en vogue avec le blanc et le noir. Le *jaune*, symbole du soleil qui perce à travers vos murs, est devenu la couleur-équipe vedette.

Une fleur . . . et tout est dit

Il y a des façons très simples de baser des harmonies de couleurs. On peut prendre comme point de départ une fleur, un bol de fruits, un tapis oriental ou résolument moderne, un paravent, un tableau.

La façon la plus facile, c'est de démarrer avec une seule fleur, ou un milieu de table fait de fruits. La fleur est une des plus belles oeuvres de la création et l'homme n'a pu égaler cette merveille. En toute saison, même en hiver, on peut trouver la teinte florale appropriée, celle qui s'harmonisera avec le service de vaisselle et l'environnement.

Un simple bol de fruits frais, qu'on servira au dessert, ne simplifie pas seulement le service. Il peut également apporter une parfaite harmonie de couleurs à une table fonctionnelle et jolie. Essayez de mélanger des raisins verts et bleu foncé, avec des oranges et des fruits rouges. Rehaussez cet arrangement avec quelques fleurs blanches très ouvertes, des marguerites par exemple. Le résultat est étonnant!

Des citrons ou des limes accompagnés de feuillage; une pyramide d'oranges ou de légumes avec de la verdure; une belle laitue fraîche, dont on sépare les feuilles et qu'on pique de marguerites blanches ou jaunes; autant d'idées originales et inusitées pour une décoration colorée ... et remarquée.

Un jeu de couleurs établi à partir d'un tapis, d'un paravent, d'un tableau ou d'une figurine peut se prolonger harmonieusement avec les teintes de la vaisselle, de manière à produire un effet original où aucune fleur n'est requise.

Chaque réception réussie a, à la base, une belle table et un menu intéressant. Comment réaliser l'effet le meilleur, pour une ambiance quotidienne, ou une occasion spéciale? C'est une question d'imagination et de compréhension de l'art de la table, plus qu'une question monétaire. Plus nous en savons sur la façon de décorer et d'organiser notre table, plus cette tâche devient une excitante aventure.

J'aime prendre des objets créés pour un usage très précis et leur donner une autre fonction: un cendrier, un porte-cigarettes, peuvent devenir de petits contenants pour une seule fleur; une soupière d'argent, d'or ou de porcelaine fine, par exemple, devient un somptueux et très élégant milieu de table pour une réception officielle.

C'est excitant d'essayer de nouvelles combinaisons de couleurs et de tissus, de textures et de formes! Les règles de base et les lois qui régissent l'art de la table, ont un dénominateur commun: *le bon goût.* Il doit être sousjacent à tous projets, quelle que soit l'occasion, quelle qu'en soit l'importance.

Planifier un menu et réunir les bonnes personnes pour le déguster, est un art tout aussi poussé que la décoration de la table. Une hôtesse accomplie garde un journal des réceptions. Elle choisit avec soin les convives, prépare sa soirée bien à l'avance; elle accueille ses invités et sait les mettre à l'aise. Sa maison semble les attendre. Elle sourit, paraît heureuse ... et ses invités le sont aussi.

Chapitre I

L'étiquette pour l'hôtesse et ses invités

D'après le dictionnaire, étiquette signifie: *règle de conduite en société.* C'est une forme de comportement requis par une bonne naissance et/ou les conventions. Au sens propre, une étiquette annonce la qualité d'un produit. Le produit qui nous occupe est destiné par la société, à nous donner de l'aisance dans notre vie quotidienne.

Même dans notre façon moderne et plus détendue de vivre, l'étiquette reste un facteur essentiel de mieux-être. De mauvaises manières peuvent être la cause majeure d'un manque de réussite dans votre vie privée ou professionnelle. Elles ont été la cause de bien des bris de relation et ferment beaucoup plus de portes vers l'avancement que la plupart des gens veulent bien l'admettre.

L'étiquette est, par conséquent, de la plus haute importance pour les enfants. S'ils grandissent avec de bonnes manières, ils observent les bases de l'étiquette tout au long de leur vie, en dépit d'une tendance de plus en plus prononcée au laisser-aller.

Une mauvaise équation: affaires et gastronomie

Il y a une règle d'importance primordiale, à suivre lorsque l'on reçoit: *ne jamais parler d'affaires à table.* Il vaut mieux réserver les lunches ou les dîners d'affaires pour les restaurants. Dans une maison privée, ils n'ont pas vraiment leur place.

Une hôtesse avisée n'invite jamais trop de personnes à la fois; elle n'invite jamais de parfaits étrangers, ou des gens asociaux, dans ses dîners; elle n'invite jamais, non plus, dix ou douze personnes qui ne se connaissent absolument pas les unes les autres; ou alors, pis, qui se haïssent les unes les autres. Une réunion bien organisée, parfaitement planifiée et joliment réglée, peut facilement être ruinée, si ces règles de base ne sont pas respectées.

Les invités doivent être choisis avec soin. L'hôte comme l'hôtesse doivent se préparer pour cette soirée, longtemps à l'avance. La nourriture, les vins et la décoration doivent être choisis et conçus de façon à s'harmoniser entre eux.

Les hôtes doivent être détendus et fin prêts à recevoir leurs invités, à peu près quinze minutes avant le temps fixé pour le début de la réception. Une hôtesse qui accueille ses invités, souriante et détendue, peut être assurée d'une partie du succès de sa soirée.

Portez une attention spéciale à votre liste d'invités. Gardez vos listes en réserve pour d'autres occasions. N'inviter que des amis qui se connaissent déjà n'est pas une tâche facile et l'innovation n'y trouve pas son compte. Alors, il est nécessaire de prévoir les invitations à tour de rôle, pour créer de nouveaux groupes bien assortis.

Comment formuler une invitation

Les invitations officielles sont gravées ou écrites à la main, avec encre bleue ou noire, sur du papier blanc ou blanc cassé, à la troisième personne, et envoyées deux semaines à l'avance. Il y a encore, même aujourd'hui, de nombreuses occasions pour des invitations officielles. Entre autres: les mariages, les grandes réceptions ou les lunches officiels, les grands dîners et les grands bals.

Les invitations semi-officielles, ou sans formalité, peuvent être formulées par écrit, sur des cartons pré-imprimés, ou simplement par téléphone (le choix le plus fréquent).

Les invitations doivent spécifier l'heure, clairement. Si vous invitez à dîner, indiquez l'heure d'arrivée et celle à laquelle vous espérez servir le repas. Ex.: 19h30 pour 20 heures. Si vous offrez un « cocktail-party », vous en indiquez la durée. Ex.: de 7 heures à 9 heures. Sur ces invitations vous devez toujours indiquer la tenue que vous désirez voir porter par vos invités. Cela évite toute confusion et tout embarras.

A quelle heure recevoir

Chaque hôtesse doit savoir quelle est la meilleure heure pour convier à dîner. Il est toujours avisé de suivre les coutumes locales. En Espagne, par exemple, le dîner n'est jamais servi avant 22 heures ou 23 heures. Certains restaurants ne sont même pas ouverts avant cette heure. Ici, au Canada, nous respectons, plus ou moins, les heures suivantes:

Brunch: entre 11h30 et 14 heures.

Lunch: entre 12h30 et 14 heures.

Lunch-buffet: habituellement entre 12 heures et 14 heures.

Dîner: habituellement pour 20 heures, prêt à servir pour 20h30 (on alloue à peu près trente à quarante-cinq minutes pour les apéritifs.)

Souper-buffet: habituellement à partir de 20h30 ou 21 heures. Pour certaines occasions spéciales, un buffet peut être servi plus tard, mais les invités doivent être avisés de l'heure prévue.

Le thé: habituellement à 16 heures; mais souvent autour de 16h30 (ceci n'est pas le *High Tea* britannique, qui est l'équivalent de nos soupers.)

Open-house: les heures se recoupent. On invite habituellement de 14 heures à 16 heures, de 15 heures à 17 heures et de 16 heures à 18 heures.

Cocktail-party: le meilleur moment pour ce genre d'invitation, au Canada, se situe entre 18 heures et 20 heures. Mais j'ai l'habitude de donner mes «cocktail-parties» de 19 heures à 21 heures, ce qui laisse un peu plus de temps à mes invités pour se vêtir pour l'occasion.

Ces horaires doivent être gardés à l'esprit comme règle de base. Ils peuvent, bien sûr, être modifiés, pour des raisons personnelles, en autant que les invités soient avertis du changement.

Les présentations

Faites-vous un point d'honneur de présenter vos invités dès leur arrivée. Même dans un grand « cocktail-party », présentez autant d'invités que possible.

Ce faisant, ajoutez quelques informations additionnelles sur leurs activités, de sorte qu'une conversation puisse démarrer aisément sur des sujets d'intérêts mutuels. Ne laissez jamais un invité seul ou errant à travers la pièce comme une âme en peine. Voyez à ce que chacun soit pourvu de boisson ou de cocktail et au dîner, voyez à ce que vos invités soient confortablement installés et bien servis. Ne marquez aucune préférence envers un invité plutôt qu'un autre, et réservez le « flirt » pour d'autres occasions.

Surveillez la conversation et veillez avec tact à l'orienter vers des sujets gais et plaisants. Autrefois, l'hôtesse amorçait la conversation avec la personne placée à sa droite puis au milieu du repas, elle « tournait la table » et parlait avec celle placée à sa gauche (étiquette ancienne).

Maintenant, vous conversez avec vos partenaires de droite et de gauche, si possible, également. Aujourd'hui, on parle même à un partenaire de l'autre côté de la table. (D'où la nécessité d'un arrangement décoratif très bas au milieu de la table.)

Les retardataires

Que doit faire la parfaite hôtesse quand l'un de ses invités est en retard?

Elle ne doit attendre que quinze minutes au maximum, après l'heure indiquée sur son invitation. On doit cependant, dans la mesure du possible, éviter de servir le dîner sans la présence (s'il y a lieu) de l'invité d'honneur, si celui-ci est en retard. Mais si ce retard se poursuit au-delà de ving-cinq minutes, l'hôtesse doit inviter les convives à passer à table.

Les retardataires doivent aller directement présenter leurs excuses à l'hôtesse (qui reste assise), et vont immédiatement s'asseoir. Si le nouvel arrivant est une femme, alors son voisin de table se lève pour l'aider à s'asseoir. Il ne doit y avoir aucune autre explication de la part de l'invité, ni ressentiment de la part de l'hôtesse, même si elle est profondément ennuyée de l'incident. Le dîner suit son cours. On sert au retardataire le mets en cours de service. Bien sûr, cette procédure n'est pas applicable lors d'un dîner intime ou d'un dîner-rencontre entre bons amis ou les membres d'une même famille. Mais les règles de base de l'étiquette spécifient qu'un groupe d'invités ne doit pas être incommodé par la faute ou l'abstention d'une seule personne appartenant à ce groupe.

Les pièces doivent être chauffées, mais bien aérées en hiver; fraîches, si possible climatisées, lors d'une chaude journée d'été. Appliquez tous les petits trucs appris pour faire de cette rencontre une soirée réussie.

Faites bien sentir à vos invités qu'ils sont les bienvenus . . . et n'oubliez pas de sourire!

L'inévitable accident

Un accident peut se produire. Le vin peut être renversé. Des aliments peuvent tacher la nappe. Prenez soin de votre invité d'abord. Ensuite, occupez-vous de votre table ou de vous-même. Minimisez chaque accident, même si la plus merveilleuse de vos nappes brodées main est ruinée à jamais. Ne faites pas un drame de cet incident. Restez calme. Couvrez la tache avec une serviette de table de toile ou remplacez simplement le verre brisé. Ne rendez pas votre invité mal à l'aise. Continuez la conversation, là où elle s'est interrompue et surtout ne demandez pas à vos autres invités de vous aider à nettoyer la place!

Les règles de conduite de l'invité(e)

Les invités ont aussi leur devoir. Non seulement vis-à-vis de l'hôte et de l'hôtesse, mais également envers les autres invités. Vous devez immédiatement répondre à une invitation. Si quelque chose survient qui rend impossible votre présence à cette soirée, après avoir accepté d'y paraître, téléphonez immédiatement.

Un homme doit envoyer des fleurs avec une note d'excuses pour le désagrément occasionné. Une femme envoie un petit cadeau à une date ultérieure, accompagné de quelques mots exprimant ses regrets. Une hôtesse qui a bien planifié un dîner est toujours incommodée par un changement de dernière minute survenu dans la liste de ses invités.

On doit arriver à l'heure pour un dîner ou pour un lunch. Même pour un buffet. Il y a bien sûr des occasions où un retard est inévitable. Nos hivers et l'impossibilité de trouver un taxi dans un blizzard, de même qu'un appel professionnel de dernière minute, sont autant de hasards imprévisibles. Mais si un tel événement survient, téléphonez immédiatement. Expliquez la raison du retard, offrez vos excuses.

Si c'est possible, arrivez à temps pour le dessert ou le café.

Respectez le temps indiqué pour un «open-house», un thé ou un «cocktail-party». Arrivez et quittez dans les limites du temps spécifié sur la carte d'invitation. Si l'hôtesse est célibataire, tous les invités mâles devraient quitter avec le dernier invité. Il peut être embarrassant pour une femme seule de demeurer avec le dernier invité mâle, sauf si celui-ci l'emmène dîner à l'extérieur après le «cocktail-party».

Si vous êtes invité à un dîner officiel et que l'on n'a pas spécifié la tenue requise pour l'occasion, téléphonez et informez-vous. Essayez de ne pas éclipser votre hôtesse par votre toilette, votre coiffure, votre maquillage et vos bijoux. La suprême élégance réside toujours dans la simplicité.

Ne commencez pas à manger avant que votre hôtesse n'en ait donné le signal. Lors d'un grand dîner servi par des domestiques, vous attendez que l'hôtesse ait pris la première bouchée pour débuter. S'il n'y a qu'une serveuse ou pas du tout, l'hôtesse vous priera de commencer à manger après avoir servi environ six invités. Cela empêche les mets de refroidir.

Essayez de respecter le rythme de la table en mangeant. Ne faites aucun commentaire sur un mets que vous n'aimez pas. Prenez-en une petite bouchée et laissez le reste dans votre assiette. Ne monopolisez pas la conversation, mais n'en soyez pas non plus absent, ne montrant manifestement aucun intérêt pour ce qui se dit. Essayez de participer à la conversation de votre voisin et d'y prendre plaisir. N'attaquez pas de sujets controversés à table tels que la religion, la politique ou les affaires. Changez immédiatement de sujet si vous sentez que votre partenaire est inconfortable ou malheureux sur le terrain abordé.

Quand le dîner est terminé, déposez votre serviette de

table, normalement, à côté de votre assiette. Ne la repliez pas dans ses plis. Ne la laissez pas non plus tomber sur votre chaise. Ne la déposez jamais sur votre assiette souillée. Après que l'hôtesse ait donné le signal de la fin du repas et que celle-ci et l'invité d'honneur aient amorcé le mouvement pour quitter la table, les messieurs doivent aider les dames à se lever de leur siège. Les chaises sont remises en place silencieusement. L'hôtesse indiquera, alors, l'endroit où le café doit être servi.

Les invités ne doivent pas s'attarder plus de deux à trois heures après la fin du repas. Lors d'un dîner officiel, les invités doivent attendre le départ de l'invité d'honneur avant d'aller eux-mêmes saluer leurs hôtes.

Si vous avez engagé des musiciens, ceux-ci doivent jouer encore cinq minutes après le départ du dernier invité. Toutes les chandelles et les lumières demeureront allumées durant le même laps de temps. Ce n'est qu'après, que l'on doit commencer à débarrasser la table, si elle est visible du salon. (Si la salle à manger est fermée, les domestiques peuvent commencer à nettoyer la table tout de suite après le repas, sans déranger les invités.) En étiquette, c'est une petite attention délicate qui prouve à l'invité qui, par mégarde, a oublié quelque chose chez vous et revient à l'improviste, que vous ne semblez pas vous être débarrassé d'une corvée bien finie. Il reste un brin de nostalgie dans l'air pour la soirée qui vient de s'achever. Et le « survenant » peut encore goûter l'atmosphère avant que le rideau ne tombe.

Il est de première importance de remercier votre hôtesse et votre hôte pour l'agréable soirée à laquelle ils vous ont convié. De plus, c'est une charmante coutume de rédiger une petite note de remerciement, le lendemain d'une soirée si réussie.

Voilà donc les règles de base de l'étiquette que doivent

observer l'hôte, l'hôtesse et les invités pour une soirée plaisante et inoubliable. Nul embarras ne peut résulter d'une conduite conforme à ces règles, et les hôtes, comme les invités, auront le désir de renouveler une telle rencontre dans le plus bref délai. D'ailleurs, l'étiquette demande aux invités de rendre la pareille à leurs hôtes dans les six mois.

Chapitre II
L'art de recevoir

Servir un dîner sans domestique

Il est certainement difficile de recevoir sans aide; mais ce n'est pas du tout impossible. Après bien des années de recherches, d'essais de différentes méthodes et de nombreuses expériences tentées dans ma propre maison, je crois avoir trouvé la solution à cette tâche qui effraie tant d'hôtesses expérimentées... et encore plus celles sans expérience.

Rien ne vaut l'accueil à domicile

Bien sûr, il serait plus facile de recevoir à l'extérieur. Mais, sans parler du coût élevé que cela représente, recevoir hors de la maison est presque impersonnel, peu amical et un peu froid. Cela peut même donner l'impression aux invités qu'ils ne valent pas la peine occasionnée par une réception à la maison. Sans compter qu'au restaurant, peu importe le nombre d'étoiles à la clé, la cuisine peut être fort décevante. J'ai pu le constater en trop d'occasions!

Mieux vaut recevoir à la maison, même sans aide. Mais cela requiert, de votre part, une très bonne organisation.

Préparez tout, largement à l'avance, pour éviter la tension, les problèmes et la bousculade des derniers moments. Le menu doit être choisi de façon qu'il ne requière aucune préparation de dernière minute. Les steaks, le filet mignon, etc.... doivent être bannis du menu d'un dîner sans domestique. Une hôtesse, seule, doit être capable de servir six à huit invités sans difficulté. Passé ce nombre, il devient impossible de s'occuper efficacement de tous.

La méthode détente

Planifiez votre soirée de façon à vous réserver du temps pour vous habiller et vous reposer quelques minutes avant l'arrivée des premiers invités, et pour un dernier coup d'oeil aux fleurs, aux mets et à l'arrangement de votre table. Quand le premier coup de sonnette se fera entendre, vous serez fraîche, dispose et bien coiffée, agréable et souriante. Tout ceci demande de l'entraînement. Pour vous aider dans cette tâche ardue, je vais vous montrer, ici, étape par étape, comment servir un tel dîner quand vous êtes seule. Si vous suivez mes enseignements à la lettre, vous n'aurez pas à vous précipiter entre la cuisine et la salle à manger. Vous n'aurez à quitter votre siège, d'ailleurs, que quelques rares fois. Et souvenez-vous, lorsque vous aurez à le quitter, de le faire calmement, avec élégance, sans hâte, conversant même, en apportant un nouveau plat ou en changeant les couverts. Ne laissez pas un convive vous aider. Laissez l'hôte animer la conversation ou servir le vin, de façon que les invités ne soient pas conscients du fait que vous n'êtes plus à votre siège, mais à préparer le prochain service.

Surtout, n'essayez pas de copier un dîner officiel, sans domestique. C'est une entreprise vouée à l'échec. L'hôtesse doit éviter d'agir comme une servante. Ses gestes doivent toujours être élégants et aisés.

Le menu facile à servir

Le menu, pour un dîner sans aide, ne peut être aussi élaboré qu'il le serait avec des domestiques. Mais la présentation peut être si jolie, que le plus simple des mets aura l'apparence d'une spécialité du chef.

Une desserte, ou une petite table d'appoint, est essentielle dans ce genre de dîner. Elle doit être placée près de l'hôtesse. Les plats et les casseroles sont installés dessus, au moment où le dîner commence. On y dépose aussi les réchauds qui gardent les aliments à la bonne température.

Le buffet n'est pas seulement un meuble décoratif, mais une utilité pour une hôtesse qui doit recevoir seule. On y installe les assiettes et les couverts pour le dessert et même les desserts qui n'ont pas besoin d'être gardés au réfrigérateur jusqu'à la dernière minute. De même, les fromages, avec leurs assiettes et les fruits, devraient être déposés dessus. Lorsque vous changez les couverts, entre les services, une place peut leur être réservée sur ce buffet. Vous empilerez, tout ensemble, la vaisselle et les ustensiles déjà utilisés, de façon à les transporter facilement à la cuisine, à la fin du repas.

Petite note d'histoire

A Athènes, au IVe siècle avant J.-C., la desserte, telle qu'on la connaît aujourd'hui, existait déjà. Elle se composait d'un grand plateau, en contenant cinq plus petits, où l'on retrouvait un assortiment d'oursins, de soupe au vin doux, de fruits de mer et d'esturgeons.

Un tour de force réussi

Un dîner sans serviteur, requiert ce qu'il est convenu d'appeler: *le service de style anglais*. Il est commode, intime et garde l'hôtesse dans la pièce, la plupart du temps. J'ai même assisté à des dîners où l'hôtesse ne quittait pas la pièce de tout le repas! Tous les mets étaient gardés à la bonne température, grâce à des réchauds, sur la desserte près de l'hôtesse. La soupe est dans une terrine, sur la desserte aussi, près d'elle. Elle ne se lève pas pour servir ses invités, mais passe les bols à soupe, à sa droite et à sa gauche, et les convives font suivre.

Les plats de viandes et de légumes sont ensuite présentés, par l'hôtesse, à sa droite. Les mets font ainsi le tour de la table et l'hôte, vis-à-vis de l'hôtesse, n'est pas oublié. L'hôtesse se sert en dernier.

Si un rôti est au menu, il est tranché, par l'hôte, sur le buffet ou sur la table. L'hôte peut alors, ou disposer les portions sur un grand plat, avec cuillère et fourchette appropriées et faire circuler, ou placer des portions individuelles sur chacune des assiettes empilées près de lui et faire circuler. Toute sauce et jus naturel, accompagnant un plat de viande, doivent suivre immédiatement le mets pour lequel ils ont été prévus.

Après que chacun ait été servi, on place les plats, saucières et légumiers, sur la desserte. Aucun plat de service ne devrait rester sur une table décorée, même dans une maison sans domestique. Cela gâte l'arrangement et l'harmonie de cette table. On peut prévoir des douceurs, des noix, des olives et un milieu de table fait de fruits ou de légumes qui deviennent partie intégrante de la décoration. Dans bien des cas, ces petites additions contribuent à l'impression générale de beauté qui se dégage de la table.

Quand le dîner est vraiment décontracté, on peut offrir de tout, une deuxième fois.

A un dîner sans aide, l'hôte n'est pas obligé de se lever pour verser le vin à ses invités. Il verse un peu de vin dans son propre verre, en vérifie la couleur et le bouquet, puis sert la dame assise à sa droite. Ensuite, il passe la bouteille à l'homme le plus près de lui, à sa gauche, qui à son tour sert la femme assise à sa droite, puis se sert lui-même. La bouteille fait ainsi le tour de la table, jusqu'à l'hôte, qui, le dernier, remplit son verre.

A un dîner de plusieurs convives, une bouteille peut être passée à droite, et une autre à gauche, ce qui permet un service meilleur et plus rapide. Une bouteille ne peut servir plus de quatre ou cinq personnes, de toute façon. La deuxième bouteille est goûtée par l'homme qui en fait le service.

Si l'hôte a laissé tomber un petit morceau de bouchon de liège dans son vin, il peut prendre le bord de son couteau, ou d'une petite cuillère, pour l'enlever. Il n'a qu'à placer délicatement le liège sur le bord de son assiette. Si le bouchon s'est brisé en morceaux à l'intérieur de la bouteille, il ne reste plus qu'à la vider dans l'évier!

Avec une bonne organisation et certaines prévisions, l'hôtesse n'aura pas pour ainsi dire, à quitter la pièce. Les mouvements de l'hôte et de l'hôtesse sont réduits à leur minimum et la soirée est très détendue, amicale et intime.

Bien sûr, cette méthode ne peut être suivie lors d'un dîner officiel. Il vous faudra, pour cette occasion, engager des domestiques. Dans le cas d'un dîner de très haute importance, où l'on reçoit des invités de marque, il conviendra d'engager plutôt de la main-d'oeuvre masculine.

La fameuse assiette à pain

Si vous voulez suivre l'étiquette à la lettre, lors d'un dîner officiel, vous ne devez placer sur la table ni assiette à pain, ni couteau à beurre, ni cendrier. Il en va de même pour les grands dîners de gala, les réceptions d'Etat et les réceptions diplomatiques. Les petits pains croustillants sont roulés dans la serviette de table. Cependant, de nos jours, on s'adapte aux goûts des invités, et même dans les dîners officiels, il est devenu pratique courante d'avoir des assiettes à pain et des couteaux à beurre. La principale raison pour laquelle on évite d'ajouter cette assiette, est une question d'esthétique. Quand la table est petite, une assiette additionnelle la fait paraître encombrée. Si c'est votre cas, déposez donc ce petit pain dans la serviette de table et oubliez le beurre, ou faites circuler le beurrier. C'est tout à fait dans les normes. Car pour que les invités soient confortables, on doit prévoir une distance de vingt à trente pouces entre chaque couvert.

Ces ustensiles qui nous tournent le dos

Dans certaines maisons et dans quelques restaurants, les ustensiles sont retournés, la cuillère et les dents de la fourchette regardant la nappe et non le convive. Ce n'est pas par snobisme ou arrogance. On doit cacher le poinçon de l'argenterie. En France, ce poinçon est à l'intérieur et non à l'extérieur des ustensiles, comme c'est le cas pour la plupart des autres pays. C'est pourquoi vous pouvez voir l'argenterie française disposée à l'envers. En France, également, les services sont nombreux, même dans les menus quotidiens. Donc les ustensiles se multiplient. Quand un nouveau plat va être servi, le serviteur place les ustensiles qui l'accompagnent à l'envers et légèrement plus haut que les autres pour indiquer au consommateur qu'ils sont ceux à utiliser avec le mets servi, et éviter l'embarras du choix au convive.

On fait usage de cette méthode dans les meilleurs restaurants à travers le monde et partout en France. Mais j'ai remarqué, dernièrement, que certaines nouvelles pièces de l'argenterie française avaient désormais leurs poinçons à l'extérieur. Avec celles-ci, vous mettez donc la table selon la méthode courante.

Il serait tout à fait erroné de croire que vous suivez une ancienne mode, en tournant cuillères et fourchettes, car il n'est pas ici question de mode, mais uniquement d'une façon élégante de cacher des poinçons inesthétiques.

Le moment des douceurs

Avant de servir le dessert, on enlève de la table tout ustensile inutile. Tous les verres également, sauf le verre à champagne, s'il y a lieu. Les ustensiles à dessert sont alors, ou mis à votre place, ou apportés avec votre dessert. Quand ils sont disposés sur la table, au début du repas, on les met en haut de votre assiette, le manche de la cuillère ou du couteau orienté vers la droite, celui de la fourchette vers la gauche, de façon à pouvoir être saisis aisément.

S'ils sont apportés avec votre assiette à dessert, la cuillère ou le couteau sont placés à droite de l'assiette et la fourchette à gauche. On présente alors les rince-doigts, si c'est nécessaire, et des serviettes de table à dessert, si on le désire.

Un vin à dessert ou le champagne peut alors être servi, avec des petits fours ou des doigts de dames.

Après le dîner, le café peut être servi de diverses façons. Aux Etats-Unis, le café est souvent servi avec le dessert et présenté dans de grandes tasses, semblables aux tasses à thé.

La demi-tasse

Cependant, la façon la plus élégante de servir le café après le dîner, reste en demi-tasse. Cela ne signifie pas que vous devez refuser de servir le café dans de larges tasses à ceux de vos invités qui sont accoutumés à le boire ainsi, ou qui préfèrent tenir une grande tasse dans leurs mains. Les hommes souvent préfèrent de grandes tasses et le rôle de l'hôtesse, après tout, est d'abord de plaire à ses invités et de faire tout ce qui peut leur être agréable.

Lors de certains dîners plus officiels, les hommes aiment prendre leur café, digestifs et cigares, à table. Ils se rapprochent de l'hôte et forment un cercle, pendant que les femmes, invitées par l'hôtesse, la suivent dans la bibliothèque, le salon ou le boudoir, pour prendre leur café et leur digestif. Mais avec notre façon moderne de simplifier les choses, il est de plus en plus courant de se réunir, hommes et femmes, après le dîner, dans le salon ou la salle de séjour pour le café et les digestifs. Dans nos petits appartements, il faut aussi considérer la question de l'espace. Il est également permis de servir le café à la table, celle-ci dûment nettoyée.

Les règles d'étiquette suivantes, cependant, devraient être observées.

Le service du café

Le plateau à café est placé devant l'hôtesse, qui verse le café et y ajoute le sucre (toujours en cubes) et la crème selon ce qu'on lui indique. Cela n'est pas donné à tous les invités de préférer le café noir très fort et je suggère à toutes les hôtesses attentionnées d'avoir sous la main, sucre et crème pour l'occasion. Du zeste de citron, placé sur une petite soucoupe, réjouira le coeur des connaisseurs. Un café fort, additionné d'une simple goutte du zeste d'un citron, est très prisé en Amérique du Sud, en Italie et en Espagne. Les invités habitués à cette coutume seront très touchés par cette attention spéciale de votre part.

Le café peut également être versé dans la cuisine et les tasses, remplies, amenées sur un plateau dans le salon, avec crème, sucre et zeste de citron. L'hôtesse distribue les cafés.

Le plateau du thé ou du café n'est *jamais* recouvert d'une serviette ou d'un napperon brodé ou de dentelle.

Le café est servi immédiatement après le dîner, alors que le thé est habituellement servi une heure après le repas.

Le service du thé est toujours une cérémonie. Il est servi par l'hôtesse, qui est assise devant le plateau à thé. Le thé ne devrait jamais, si l'espace le permet, être servi à table, mais dans le salon ou la salle de séjour. Le plateau à thé supporte la théière, le sucrier (avec du sucre en cubes), le pot à lait rempli de lait tiède (jamais de crème) et une soucoupe, contenant de fines tranches de citron et une petite fourchette. Pour ceux qui aiment couper leur thé d'alcool, le rhum et le brandy ne devraient pas être loin.

L'hôtesse ne se lève pas pour porter les tasses remplies de thé autour de la pièce (elle le fait avec le café). Les invités viennent vers elle pour prendre leur tasse déjà remplie et indiquent à l'hôtesse s'ils désirent du lait, du sucre ou du citron. L'hôtesse suit gracieusement les désirs exprimés. Si vous désirez un alcool, l'hôtesse vous invitera à vous servir vous-même, vu qu'il est très difficile de connaître la quantité exacte désirée. Ces alcools — rhum ou brandy — sont versés dans la tasse de thé. Donc, vous n'avez pas à vous servir de verres. Les hommes, cela va de soi, apportent les tasses remplies à leurs compagnes. On peut servir de petits biscuits avec le thé. Ils sont placés sur la soucoupe de chacun.

Le thé ne doit jamais être versé dans la cuisine, puis apporté sur un plateau avec ses compléments, parce que le thé, contrairement au café, ne se garde pas chaud. Le service du thé est et restera toujours, une cérémonie.

Recevoir à dîner avec des domestiques

Un dîner avec seulement l'assistance d'une domestique ne peut, dans le sens strict de l'étiquette, être appelé un dîner officiel. En dépit d'une invitation élaborée, d'une décoration de table recherchée, d'un menu et de vins rares, aussi longtemps que les serviteurs sont de sexe féminin, l'invitation demeure — au sens littéral du terme — une invitation semi-officielle. En fait, une invitation de cérémonie nécessiterait trois serviteurs mâles, portant des gants de coton d'une blancheur immaculée. Trois pour chaque six invités. Ce dîner devrait être servi traditionnellement à une seule longue table assez grande pour placer tous les invités. Jusqu'à il y a une vingtaine d'années, un dîner très officiel devait nécessairement compter trente-quatre invités, tous assis à une même table! Mais même les monarques ont leurs problèmes aujourd'hui, et en plus du maître d'hôtel, ils ne prévoient habituellement qu'un valet de pied pour chaque cinq ou six invités.

Cela ne s'applique cependant pas encore à l'Orient où, dans une grande cérémonie, on prévoit un valet de pied pour chaque invité! Heureusement, l'étiquette moderne nous permet d'agir plus simplement!

Un domestique et beaucoup de classe

Si l'hôtesse tient à inviter pour un important dîner et qu'elle ne peut être assistée que d'une seule personne, elle doit prévoir sa soirée dans les moindres détails. Le dîner devra se maintenir dans des normes assez simples, mais devra paraître assi élaboré que possible, par la décoration et le service. Les décorations de la table, et les décorations de la maison elle-même deviennent un important facteur de réussite; l'hôtesse devrait obtenir l'aide d'un professionnel pour lui enlever ce poids des épaules.

Elle doit utiliser le plus possible les ressources du congélateur. Les canapés peuvent être congelés, ou préparés juste avant l'arrivée des invités. Les petits pains peuvent être disposés à l'avance également. Un rôti que l'on peut

Dîner semi-officiel. Milieu de table: mini-jardin de fleurs à courtes tiges (pour permettre la conversation avec le vis-à-vis.)
Une pensée accompagne le nom de chaque convive. Les menus sont placés aux deux extrémités de la table.

découper à la table ou sur le buffet constitue une bonne façon de s'éviter du travail.

Si la domestique que vous avez est bien entraînée, elle sera capable de faire certaines préparations de dernière minute, si tous les autres services sont bien planifiés. Le buffet de la salle à manger doit avoir été préparé pour recevoir la vaisselle et les ustensiles des services suivants. Cela facilite encore le service.

Dîner semi-officiel. Milieu de table: fleurs en bouton et fleurs champê-tres. A chaque serviette de table, les mêmes fleurs attachées avec un joli ruban. Quatre chandeliers d'argent.

La mise en scène

Même si l'invitation n'est pas aussi solennelle qu'elle le serait avec des serviteurs d'expérience, le niveau doit être maintenu aussi haut que possible, compte tenu des circons-tances.

A leur arrivée, après s'être débarrassés de leur man-teau, les hommes reçoivent chacun une enveloppe conte-nant leur nom et le nom de leur partenaire de table. Tous

Dîner officiel. Nappe brodée à la main. Chandeliers de cristal de Baccarat. Cupidons de porcelaine fine. Le couvert à poisson a des manches d'écaille. Fleurs à chaque convive.

les invités sont officiellement présentés avant que le dîner ne commence. Un plan de la table peut être placé dans le hall d'entrée, pour aider les invités à trouver leurs places sans difficulté. Une petite carte bien visible et écrite lisiblement doit être mise à la place de chaque convive. Il peut être embarrassant pour une dame de devoir sortir sa paire de lunettes pour arriver à lire son nom. Il en va de même pour le menu qui est placé à tous les deux ou trois invités.

Dîner officiel. Symphonie en rouge et argent sur une table à fini antique. La table, sans nappe, est mise pour huit personnes. Chaque invité recevra son petit cadeau habillé de rouge et d'argent.

Lors de ces dîners de cérémonie, l'hôte offre son bras droit à l'invitée d'honneur et montre le chemin vers la salle à manger. Les autres invités suivent. L'hôtesse et l'invité d'honneur entrent les derniers. L'hôte et l'hôtesse demeurent debout derrière leur chaise. S'il n'y a pas de plan dans le hall d'entrée, l'hôtesse indique à chacun sa place. Les hommes aident leur compagne de droite à s'asseoir.

A un dîner officiel, on n'offre jamais deux fois d'un plat.

Les coupes à vins, par contre, sont remplies autant de fois qu'il est nécessaire.

Au début du repas, il doit y avoir une assiette placée de-

Disposition des sièges pour un dîner officiel

La disposition des sièges, telle qu'illustrée ici, est également de mise pour un dîner moins officiel. L'invitée d'honneur est assise à la droite de l'hôte, et l'invité d'honneur, à la droite de l'hôtesse. Le prochain invité en importance est assis à la gauche de l'hôtesse, et si cet invité est une femme, à la gauche de l'hôte.

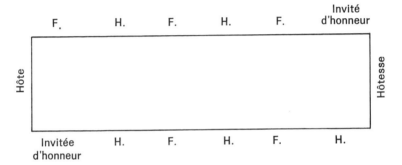

A un dîner de plus de seize convives, l'hôte et l'hôtesse seront mieux placés au milieu de leurs invités.

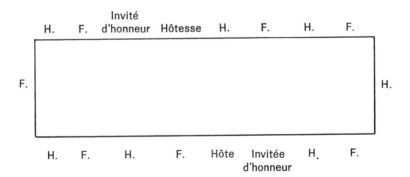

43

vant chaque invité. C'est l'assiette de présentation. Le premier service peut être placé dans cette assiette avant que les invités n'entrent dans la pièce. Même une entrée chaude peut être éventuellement servie avant que les invités n'entrent dans la salle à manger, par exemple: des ramequins, une coquille St-Jacques, etc., car ces mets sont habituellement très chauds et viennent directement du four. Si une soupe est prévue pour le premier service, la domestique la servira une fois que les invités se seront assis et auront déplié leurs serviettes.

Toutes les règles qui vont suivre ont été planifiées pour simplifier le travail et activer le service de façon que les aliments n'arrivent pas froids à la table. La méthode que je vais vous décrire est une variation moderne de l'étiquette internationale, spécialement adaptée à notre société multi-culturelle et parfaitement adéquate aux règles de l'étiquette moderne. En réalité, l'hôtesse et l'hôte qui suivront ces instructions seront parfaitement à l'aise où qu'ils soient à travers le monde.

L'étiquette internationale

La servante entre dans la salle à dîner avec le plat chaud (soupe) dans sa main gauche. Elle sert la femme assise à la droite de l'hôte (invitée d'honneur), en premier. *L'hôtesse n'est jamais servie en premier.* La servante continue ainsi à servir autour de la table et sert l'hôte en dernier. Si la domestique est bien entraînée, elle sera capable de tenir une assiette à soupe dans chaque main. Elle servira l'assiette tenue dans sa main gauche à l'invitée d'honneur et l'autre à l'invité suivant. Ceci est une bonne méthode pour accélérer le service, quand il y a plus de huit invités à table. Si le premier service était déjà en place au moment où les invités se sont approchés de la table, la servante n'enlève que le plat du premier service, laissant là l'assiette de présentation si elle doit servir de la soupe en second lieu. L'assiette de présentation n'est enlevée qu'avec l'assiette à soupe, une fois le potage terminé.

Si on ne prévoit pas de premier service et que l'assiette de présentation est en place sur la table au début du repas, la servante l'échangera pour l'assiette du plat principal. *Le service se fait toujours de la main gauche, à partir de la gauche et l'on retire toujours les plats avec la main droite à la droite des convives.* On fait exception pour l'assiette à pain et beurre qui est posée à la gauche du convive et que l'on retire de la gauche, pour éviter de passer son bras sous le nez des invités. Les verres à vin sont remplis à droite, pour la même raison. Dans certains pays, on sert et l'on dessert à la gauche des invités. Chez nous il semble plus pratique et plus fréquent d'agir selon la méthode décrite plus haut.

On ne devrait jamais — ou pour un très court instant — laisser la place vide devant l'invité. Cela n'est admis qu'à un moment précis: juste avant de servir le dessert, lorsque l'on nettoie la table de ses miettes.

Si le mets principal est, par exemple, un rôti qui doit être tranché, ce rôti doit être installé devant l'hôte, ou sur une planche à découper sur le buffet. La domestique, cependant, montre d'abord le rôti à l'hôtesse, pour recevoir son approbation. Alors elle retire l'assiette de l'hôte, installe à sa place le rôti devant lui, et une pile d'assiettes à côté. L'hôte place les tranches du rôti sur l'assiette chaude tenue par la servante. Elle sert aussitôt cette assiette à la gauche de l'invitée d'honneur, avec sa main gauche. Elle retourne vers l'hôte et répète le procédé jusqu'à ce que chaque invité soit servi. L'hôte se sert lui-même à la fin.

Si l'hôte tranche sur le buffet, il peut tout aussi bien placer toutes les tranches sur un grand plat de service qui est passé autour de la table, par la servante, à partir de l'invité d'honneur. Le plateau est toujours présenté de façon qu'il soit facile pour les invités de se servir et les manches de la fourchette et de la cuillère de service sont toujours tournés vers le convive. Tous les plats sont maintenus de la main gauche par la servante et posés sur une serviette blanche pliée. De nos jours, cette serviette se marie très souvent avec les serviettes colorées de la table, ajoutant ainsi une jolie note de couleur à la décoration de l'ensemble.

Si cela s'avère nécessaire, une servante moins expérimentée peut tenir le plateau des deux mains.

Les sauces et le jus naturel de la viande peuvent être déjà versés sur la viande ou être servis à part, dans une saucière. Mais ils doivent être présentés immédiatement après le plat de viande qu'ils accompagnent.

Après que la viande et les sauces aient été servies, on apporte les plats de légumes. Un plateau, posé sur une serviette, dans chaque main, la servante présente le plat de gauche en premier lieu puis celui de droite en commençant comme toujours par l'invitée d'honneur. Les cuillères de service sont toujours requises, les fourchettes quelquefois. Si vous servez cette variété spéciale de longues asperges blanches, elles doivent toujours être présentées sur une serviette pliée, qui en absorbe l'eau, quand leur sauce est servie séparément. Normalement vous devriez avoir des ustensiles appropriés pour ce genre d'asperges. Sinon, une fourchette et une cuillère doivent être fournies pour ce mets tout spécialement.

Souvent, dans les restaurants très élégants, un sorbet est servi entre l'entrée et le plat de viandes, surtout si l'entrée est un plat de poisson. Très souvent, le sorbet est servi *avec* le plat de viande, sans cuillère. Il est correct de manger le sorbet avec la fourchette qui sert au plat de résistance.

Comment servir aisément le rôti
avec une seule domestique

Si l'hôte découpe à la table, la servante peut prendre deux assiettes à la fois. Elle sert le plat maintenu par sa main gauche à l'invitée d'honneur et l'assiette de sa main droite à l'invité suivant. Elle retourne à l'hôte et recommence le manège, jusqu'à ce qu'il ne reste plus que l'hôte, qui se sert alors lui-même, en dernier. L'hôte peut également, s'il le désire, après avoir placé les tranches de viande sur chaque assiette, les faire circuler à droite et à gauche jusqu'à ce que chacun soit servi. Pendant ce temps, la servante circule avec la saucière de façon à ce que chacun se serve au moment où il reçoit son plat de viande. Elle fait de même pour les légumes. Pour faciliter encore plus le service, la sauce peut être déjà versée sur la viande.

De cette façon tous les mets sont servis chauds, même si c'est une méthode un peu plus familière pour servir ses invités. On peut l'utiliser pour recevoir de bons amis ou les membres de sa famille. Dans un dîner de gala, il va sans dire, il vaut mieux que la domestique aille elle-même porter la viande et sa sauce, puis les légumes, à chaque convive. D'un autre côté, une façon souple d'assurer le service peut créer une atmosphère plus chaleureuse et plus intime et ajouter une touche amicale à la soirée. C'est à l'hôtesse de juger quel sera le meilleur arrangement pour le dîner qu'elle donne. Après le plat principal, on sert la salade avec les fromages, ou les fromages seuls. Puis le dessert et les fruits. Le rince-doigts peut être présenté avec les fruits frais.

Après les fruits, l'hôtesse fait un léger signe d'intelligence à l'invitée d'honneur et toutes deux, de concert, se lèvent. Alors les hommes se lèvent de table et aident leurs compagnes à faire de même. L'hôtesse indique où le café sera servi (voir le rituel du thé et du café, page 36) et l'on change de salle.

A un dîner officiel, les invités restent de deux heures et demi à trois heures après le repas. Ils ne doivent pas quitter avant que l'invité d'honneur ne le fasse.

Le buffet

Le buffet peut aussi bien être servi à l'heure du lunch qu'en soirée. On peut servir un buffet-lunch le midi, ou un buffet-souper le soir. L'expression « buffet-dîner » est incorrecte.

Le buffet est souvent la seule solution, pour une maison sans serviteur, quand une foule d'invités sont attendus. Les petits appartements de ville ne permettent pas toujours d'autre arrangement. La plupart des élèves qui assistent à mes cours sont anxieuses d'apprendre de nouveaux secrets sur la façon de réussir un buffet. Je leur rappelle pour débuter que même pour un buffet, c'est une grave erreur que d'inviter un trop grand nombre de personnes.

Le buffet extérieur diffère en plusieurs points du buffet intérieur, plus classique, qui peut d'ailleurs être très officiel s'il est préparé et arrangé correctement.

Voici différentes façons de servir l'un et l'autre.

1. Les invités sont debout.

Les assiettes et les ustensiles sont placés sur la table du buffet avec les serviettes de table et chacun prend ce dont il a besoin. Les invités se servent eux-mêmes, ou l'hôtesse leur apporte soins et assistance. Ensuite, les convives mangent debout, avec leur plat dans leurs mains. Il faut donc voir à ce que tous les aliments soient présentés en petites portions de façon à pouvoir être mangés en une ou deux bouchées. La plupart des invités utilisent leurs doigts ou seulement une fourchette. Ils seraient incapables de couper leurs aliments, donc un couteau n'est pas nécessaire. Cependant j'aime bien laisser quelques cou-

a

Le buffet champêtre. a) Entrée et repas. La table est décorée de fleurs séchées à longue tige. Le plateau de légumes variés contribue par ses couleurs à la décoration de la table. b) Douceurs. Un chapeau de paille sert de vase à fleurs.

teaux sur la table du buffet, juste au cas où un invité le demanderait.

Cette sorte de service au buffet où chacun mange debout se fait pour des réceptions où il y a beaucoup de monde. Tenir un plat d'une main et un verre de l'autre en maintenant en équilibre à peu près stable un sac à main quelque part sous son bras ou sur son épaule, met le système nerveux des invitées à rude épreuve. Elles doivent prévoir de telles situations et s'arranger pour éviter de tels embarras.

2. Les invités sont assis où bon leur semble avec leur assiette sur leurs genoux.

La table est mise comme pour un buffet debout. Mais cette fois-ci, on prévoit des sièges de tous genres: coussins marocains, marches d'escalier, chaises pliantes, etc. La plupart des aliments doivent être découpés en morceaux faciles à manger. Ce genre de buffet convient à merveille pour un grand nombre d'invités. C'est une méthode à adopter, également, à l'extérieur.

3. Les invités sont assis à plusieurs petites tables.

La table du buffet est mise sans assiettes ni ustensiles ou serviettes de table. De petites tables pouvant accueillir de deux à cinq invités sont installées un peu partout dans la salle à manger, la terrasse ou le jardin. Ces tables sont déjà dressées avec les assiettes, les ustensiles, les serviettes et les verres requis pour le repas. Les invités forment de petits groupes selon leurs affinités. C'est pourquoi il est préférable de prévoir des tables pouvant accueillir différents nombres de personnes. Les invités qui ont commencé une conversation intéressante aimeront certainement dîner ensemble pour pouvoir la continuer.

A un buffet de ce genre, les invités prennent les assiettes de leur table et s'approchent du buffet afin de se servir eux-mêmes. Puis ils apportent leur verre au bar où l'hôte fait le service des vins; ou ils se servent eux-mêmes à boire, quand les bouteilles sont déjà sur les tables; ou bien on engage une domestique qui fait le service des vins. Il n'est pas nécessaire d'attendre que tout le monde se soit servi pour commencer à manger. Mais il serait poli d'attendre que tout votre petit groupe soit revenu à la table afin de manger tous ensemble.

Petite table pour quatre. Milieu de table: mélange de fleurs et de fruits. Les anneaux de serviette reviennent à la mode.

Après chaque service, la table est nettoyée des assiettes et des ustensiles utilisés, soit par une domestique, soit par les invités eux-mêmes à qui on a indiqué un endroit où déposer la vaisselle sale. Les invités retournent au buffet pour chacun des services.

4. Les invités sont assis à une seule table.

Un buffet plus officiel, même très solennel, pourrait être servi de la façon suivante:

La table du buffet est dressée sans assiettes, ustensiles ou verres. Une seule grande table est dressée pour les convives, comme pour un dîner très officiel.

Toute la porcelaine, l'argenterie, les verres, les chandelles (le soir), le milieu de table, etc., sont disposés dessus, de même que les noix, les douceurs, les serviettes, mais sans menu. Les invités prennent leur assiette à la place qui leur est assignée et se servent eux-mêmes au buffet. Ils peuvent également se servir eux-mêmes à boire, mais si l'hôte ou un serviteur passe le vin, le service sera plus élégant. Après chaque service, la vaisselle utilisée est enlevée et les invités retournent au buffet avec l'assiette suivante.

Les invités ne commencent à manger que lorsque tout le monde est servi, ou que l'hôtesse en a donné le signal, afin d'éviter que chacun mange froid. J'ai récemment assisté à un buffet-souper officiel où les invités se tenaient *debout* devant une grande table haute où il leur était servi un repas complet, avec deux vins et du champagne; le service étant assuré par un maître d'hôtel et plusieurs valets.

Lorsque vous dressez votre buffet, les salades, les canapés, les entrées, de même que le pain et le beurre, doivent déjà être sur la table quand vos invités s'approchent du buffet. Si le buffet est installé sur une table au milieu de la pièce, les invités s'en approchent par la gauche et suivent le sens des aiguilles d'une montre, tout autour, pour se servir.

Si le buffet est placé sur une table qui longe le mur, les invités s'en approchent par la droite et suivent la ligne jusqu'au bout. Les invités se servent toujours eux-mêmes de la main droite en maintenant leur plat de la main gauche . . . et en évitant les mouvements trop brusques!

Les plats chauds, les casseroles, le poulet rôti ou le jambon doivent suivre les salades, canapés, entrées, etc.

Les réchauds et les casseroles couvertes sont très utiles pour garder les mets chauds. Puis les fromages suivent, avec les craquelins non-salés et les fruits. Les petites assiettes et les ustensiles pour les entrées sont placés près des plats à salades, entrées, etc. avec les serviettes. Des assiettes et des ustensiles supplémentaires doivent être prévus pour une entrée de poisson. Des assiettes plus grandes et les ustensiles appropriés sont placés près des mets chauds. Les assiettes à fromages et leurs couteaux sont installés près des fromages.

Les desserts sont habituellement présentés sur de petites tables près du buffet. On y sert également le café et le thé. Des serviettes à fruits avec couteaux et fourchettes, de même que des serviettes de fantaisie, complètent la table des pâtisseries qui est en certains cas un buffet à elle seule.

Le bar est installé dans un coin différent et l'hôte remplit son rôle de sommelier. Le vin, le champagne, les liqueurs douces, etc., sont servis au bar. S'il y a trop d'invités, un barman de même qu'un serviteur devraient être engagés pour l'occasion.

Le buffet extérieur

Les buffets extérieurs doivent être préparés avec une variété de salades fraîches. On y sert des mets chauds substantiels. Pour le dessert: des fruits et des salades de fruits. D'ailleurs toute la cuisine «fantaisie» devrait être évitée. Les vins légers, les punches et les jus de fruits sont préférables aux vins rouges lourds. Les cocktails doivent être légers et frais. La table du buffet peut s'orner d'un large milieu de table fait de légumes, de fruits frais en quantité et de fleurs de jardin. Le soir, des lampes-tempête peuvent être disséminées en grand nombre. Les buffets donnés sur la terrasse ou dans le jardin devraient être servis dans de la poterie, de la vaisselle de terre cuite, des plats allant au four; les vins servis dans des verres lourds et non dans des cristaux raffinés; les ustensiles seront de préférence en acier inoxydable. Oubliez tout ce qui est fragile, de même que l'argenterie de famille. Cela ne convient pas au jardin. D'un autre côté, il serait incorrect de servir un buffet extérieur dans des assiettes de carton et des verres de plastique. On n'utilise ceux-ci qu'en pique-nique. Mais les serviettes en papier ont ici leur place et on doit en prévoir une grande quantité, dans une grande variété de couleurs. On les met sur les tables à pâtisseries non loin de la table principale. Les nappes et les serviettes de couleur sont très jolies pour un buffet extérieur.

Aménagements d'intérieur

Le buffet intérieur peut également être décoré avec des accessoires originaux. Pourquoi pas un milieu de table fait de légumes, de fruits frais et de fleurs fraîchement coupées? C'est joli et différent. Vous pouvez installer ce buffet n'importe où dans la pièce. J'utilise fréquemment les rebords de fenêtres, les buffets, les pupitres, les bibliothèques, ou j'empile des boîtes de carton fort à différentes hauteurs et les recouvre de tissus aux couleurs vives et amusantes. Même avec des draps d'Yves St-Laurent parfois. On peut tout tenter en autant que cela aille bien avec l'atmosphère de la pièce et le thème de la soirée.

Un buffet doit être aussi bien planifié dans sa décoration et son apparence générale que n'importe quel dîner assis.

Une façon amusante de concevoir la décoration d'un buffet c'est de l'adapter à ce que l'on appelle le style contemporain. La table du buffet par exemple est décorée dans une veine d'inspiration différente de celle du bar et de celle de la table des desserts. Cela fait vivant, animé et votre imagination peut s'en donner à coeur joie.

Le repas alfresco

Le mot *alfresco* vient de l'espagnol *al fresco* qui veut dire: *tout froid.* Cela n'implique pas un repas froid, mais plutôt que les aliments, légers et choisis en fonction de l'été, nous gardent frais et dispos malgré la chaleur de la soirée. Il est toujours très agréable de recevoir une invitation à dîner dehors quand la soirée est très belle. C'est une façon reposante et délicieuse de terminer une journée. Les femmes peuvent donner libre cours à leur fantaisie, dans le domaine vestimentaire. La tenue «d'hôtesse», offre tant de possibilités heureuses! Et les hommes sont toujours séduisants dans un veston blanc.

Le repas *alfresco* n'a jamais le style d'un buffet et encore moins celui d'un pique-nique. Il appartient à la catégorie des invitations les plus officielles, même si la façon de recevoir est des plus détendues. *L'alfresco* est servi à l'extérieur. Les invités sont assis à une seule table assez longue pour recevoir tout le monde.

La table est habituellement installée dans le jardin, sous les arbres, ou, si la température est inclémente, sur la terrasse ou sous une tente. Le vrai style «Gatsby».

La table est très colorée avec tous les accessoires nécessités par un repas extérieur. Un superbe milieu de table composé de fruits et de fleurs fraîches complète le décor. Les fruits seront mangés au dessert.

Un premier service de jus de tomates ou de légumes peut être servi pendant que les invités attendent de passer à table. Cela facilite le service, puisque les salades de homards ou de crevettes, de poulet ou de légumes peuvent déjà être disposées sur la table, lorsque les invités vont s'asseoir. Les vins sont servis par l'hôte, ou par un (e) domestique. Le serviteur nettoie la table après la salade et sert le plat principal. Celui-ci est habituellement plus substantiel que le plat principal d'un dîner officiel assis. Les fromages et les craquelins suivent ce service et les fruits du milieu de table sont mangés au dessert.

Le repas *alfresco* ne nécessite pas la présence constante d'un(e) domestique. L'hôtesse peut même, sans gêne aucune, le servir seule, si elle suit fidèlement les règles à observer lors d'un dîner intérieur sans domestique. Mais même lorsqu'on a suffisamment de serviteurs sous la main, ils doivent rester plus ou moins à l'arrière-plan. Car un repas *alfresco* est très décontracté, même s'il a un caractère officiel, et il serait dommage de détruire l'effet d'un repas extérieur par trop de formalités. Ce qui signifie que vos serviteurs n'ont pas à porter de gants blancs, mais que votre champagne ne doit pas non plus être servi dans des verres de plastique. (Les gants blancs ne sont requis que pour les dîners à l'intérieur très officiels).

Les invités, la plupart du temps, se promènent à travers le jardin, en dégustant leur café et leur digestif, ou s'asseoient où bon leur semble. De la musique classique peut accompagner le dîner et une danse peut suivre. L'invitation à un *alfresco* peut se terminer par un petit déjeuner très matinal, servi au jardin.

Le B.B.Q.

Voilà une forme d'invitation très populaire. Le tout se fait sans formalité, d'une façon détendue et presque dépourvue de toute forme d'étiquette. Le B.B.Q. ne demande aucune toilette spéciale. Tout va, du «blue jeans» au «short» en passant par la mini-jupe et la tenue gitane!

Les invitations se font toujours par téléphone et les invités arrivent environ vers 3 heures, pour le dîner, qui est servi dans la plupart des cas vers 6 heures.

Mais vraiment, qui peut dire à quel moment précis le charbon de bois sera à la température requise et quand les steaks, poulets, poissons et pommes de terre seront prêts à servir à tous les invités?

Moi j'ai horreur de manger dans des assiettes en papier et de boire dans des verres en carton. Mais ceux-ci sont très souvent utilisés dans les B.B.Q. Quand vous pouvez acheter de si jolis accessoires en matière incassable à très bas prix dans les magasins maintenant, il est dommage de ne pas en profiter. Les serviettes en papier cependant sont tout à fait dans la note. Disposez-en en grande quantité partout.

Les barbecue sont très consistants. Ce sont des repas «masculins», car c'est là que l'homme a le plus l'occasion de briller comme cuisinier. Cela ne signifie pas que l'hôtesse n'a qu'à se reposer et ne rien faire. Les hommes ont toujours besoin de beaucoup d'aide, c'est connu!

Cependant, ce n'est pas la place pour des hors-d'oeuvre fantaisistes ou des desserts élaborés. Servez de larges salades, des fruits frais, des salades de fruits, des légumes frais. Offrez de la bière, du cidre, des liqueurs douces et du café dans de larges tasses. Oubliez vos demi-tasses, l'argenterie de famille et vos verres de cristal. Utilisez une jardinière en poterie, en cuivre ou en étain, pour garder vos boissons au frais.

Le soir, employez des projecteurs, des lampes-tempête. Disposez des fleurs et des plantes vertes partout où c'est possible. Disposez des séries de petites tables tout autour du jardin, avec des chaises. Les nappes et les napperons ne sont pas nécessaires. Quelques fleurs fraîches sur la table ou une lampe-tempête fournissent un décor suffisamment agréable.

La plupart des hommes ont horreur de se tenir debout pour manger. Spécialement lorsqu'il y a quelque chose à couper dans leur assiette, comme c'est le cas pour un B.B.Q. On ne peut faire cette opération avec une assiette d'une main et un verre de l'autre. La conversation s'en ressent.

Mettez tous vos accessoires: assiettes, tasses, ustensiles, verres sur une table, version buffet sans formalité, et laissez vos invités prendre eux-mêmes ce dont ils ont besoin. Alors ils peuvent approcher le chef-hôte qui leur proposera ses spécialités. Puis ils se serviront eux-mêmes de salades, de fruits, de fromages. Ils se serviront également à boire. Souvent les invités préfèrent siroter leur café assis dans l'herbe, ou près de la piscine, s'il y en a une. Ils vont où bon leur semble à travers le jardin.

Le B.B.Q. peut se prolonger jusqu'à minuit si vous n'avez pas précisé de temps limite lors de votre invitation.

Chapitre III
Recevoir lorsque
vous êtes célibataire

Dans notre monde de femmes de carrière et de femmes libres, de plus en plus d'hôtesses sont célibataires et vivent comme tel en faisant leur propre cuisine et recevant sans aide. L'hôtesse célibataire doit préparer sa réception avec encore plus de soins si c'est possible, que la femme mariée, qui peut s'appuyer sur un mari obligeant pour endosser les responsabilités de l'hôte.

Les femmes d'affaires doivent parfois mener une vie sociale très élaborée. Rendre une invitation, recevoir, n'est pas toujours tâche facile. Les quelques règles qui suivent vont permettre à l'hôtesse de tirer avec bonheur son épingle du jeu.

Entre femmes

S'il n'y a que des femmes invitées à une réception, la meilleure amie de l'hôtesse va l'aider à accueillir les convives. Elle leur montrera où laisser leur manteau, leur choisira une chaise, préparera les apéritifs et aidera au service à table. Si elle n'est pas connue des arrivantes, elle se présente d'abord, puis présente les nouvelles venues aux invitées déjà sur les lieux.

Dîner entre femmes. Milieu de table: marguerites fraîches et longs rubans. Les serviettes de table sont pliées en «nid», garnies d'une fleur du bouquet principal.

Un dîner mixte

S'il s'agit d'un dîner mixte, l'hôtesse célibataire demandera à l'un des invités mâles de l'aider dans les devoirs dévolus à l'hôte. Il devient alors l'hôte de fait pour la soirée. Cela peut susciter des commentaires et des présomptions sur les relations de l'hôtesse et de l'hôte d'un soir. C'est pourquoi je trouve encore meilleure la solution suivante. Je désigne deux hommes, qui se partagent le rôle de l'hôte. L'un peut accueillir les invités, servir les boissons, etc. L'autre peut aider aux services à table, servir les vins, découper le rôti, etc. Les hôtes d'occasion, peu importe leur degré d'intimité avec l'hôtesse, doivent faire en sorte de partir avec les autres invités. Même si l'un d'eux est fiancé officiellement à l'hôtesse. C'est ainsi que le veut l'étiquette stricte. Le chevalier servant demeure responsable de l'intégrité de la réputation de sa dame . . .

A un dîner assis, l'hôte s'asseoit face à l'hôtesse, à la place qui lui est normalement assignée comme hôte officiel. Il servira les vins. (Voir le chapitre II.) L'hôtesse prépare son menu tel qu'expliqué dans ce même chapitre, en utilisant une desserte et le buffet. L'hôtesse et l'hôte servent sans se lever, sauf si c'est absolument indispensable. L'hôtesse fait circuler les plats et les casseroles autour de la table. Elle commence à sa droite, où elle a placé l'invité d'honneur. Elle garde tous les plats de service et la vaisselle près d'elle sur la desserte. Certaines hôtesses laissent les plats de service sur la table, mais je préfère utiliser le buffet, s'il n'y a pas de desserte disponible. Les plats de service sur une table bien décorée ruinent l'impression générale de beauté qui devrait s'en dégager. Le décor de votre table est une partie importante de la réussite de votre soirée. Rappelez-vous qu'à un dîner plus officiel, les plats de service ne peuvent être tolérés sur votre table.

Après le dîner, le café est servi au salon ou dans la salle de séjour. Si on ne peut faire autrement, le café peut être servi sur la table du dîner dûment nettoyée. Pour savoir comment servir le café dans les normes de l'étiquette, se référer au chapitre II. C'est l'hôte d'un soir qui verse les liqueurs ou le cognac.

L'hôte célibataire

Pour l'homme célibataire, recevoir se fait toujours sans formalité. Il offre une occasion de se détendre en toute amitié et c'est toujours plaisant pour lui, comme pour ses invités. Le célibataire qui songe à organiser une réception sans l'aide d'aucune femme, doit être encore plus attentif

Un brunch très spécial dans un appartement de ville: Un décor qui ensoleillera la plus grise des journées d'hiver. La nappe et les serviettes de table sont brodées à la main; le milieu de table est fait de fleurs de soie; la bouteille de champagne attend au frais, parmi des plantes dont les couleurs prolongent l'harmonie de la table.

Un dîner pour deux: Magnifiques fleurs de soie suspendues au mur: une façon originale de remplacer le milieu de table traditionnel. Sur une nappe crochetée à la main, le bourgogne décanté attend d'être servi dans les verres ballons. Les verres roses serviront pour un vin alsacien que l'on servira avec les hors-d'oeuvre.

La table masculine. Une façon de dresser la table, que chaque homme peut facilement réaliser. Milieu de table: chou vert frais piqué de fleurs fraîches et entouré de légumes. Devant chaque invité, sont déjà servis une soupe, du pain frais et de petits légumes. Cela sauve du temps et des pas. Couleurs: jaune, vert et brun.

Monsieur reçoit. Milieu de table: des artichauts et des champignons déposés sur un lit de laitue romaine. Les assiettes sont de la célèbre collection MIDWINTER: Earth. La chandelle, la nappe ronde et les serviettes de table s'harmonisent dans les tons de brun, beige et vert.

66

que l'homme marié dans la préparation des détails. Tout homme qui organise une soirée réussie et dont ce n'est pas la profession, doit être très fier de lui.

Choisissez, messieurs, un menu qui peut être entièrement préparé à l'avance parce que vous aurez, en même temps, à accueillir vos invités et à servir les canapés et les cocktails. Il doit déjà y avoir, à l'avance, sur le buffet, la vaisselle et les ustensiles pour chaque service. Le mets principal doit être dans le four, de façon à pouvoir être servi immédiatement après les cocktails. Les hors-d'oeuvre devraient être froids et déjà en place quand les invités s'approchent de la table. Les fruits, les fromages et les sauces doivent également être sur le buffet ainsi que les tasses à café. Après chaque service, la vaisselle et les ustensiles utilisés sont placés sur le buffet mais portés à la cuisine seulement après le dîner. L'hôte n'a pas à quitter sa place pour servir son vin. (Voir chapitre II.)

Des hors-d'oeuvre froids, un plat principal chaud, des fromages et un dessert (fruit ou pâtisseries françaises) sont un exemple de menu parfait, pour un hôte célibataire qui a peu l'occasion de recevoir chez lui. Servez le café dans le salon, ou si ça n'est pas possible, sur la table dûment nettoyée. Le célibataire doit verser le café dans la cuisine et apporter à ses invités les tasses ainsi remplies, le sucrier et le pot à crème, sur un plateau. Il sert les liqueurs et le cognac au même moment.

Pour l'homme célibataire, les règles d'étiquette sont plus souples que pour la femme qui reçoit. Un homme peut très bien se contenter de distribuer à ses invités des serviettes en papier par exemple. Mais s'il invite des gens à dîner dans sa maison, il doit au moins être au fait des règles fondamentales de l'art de recevoir. En fait, il devrait connaître les moindres aspects de l'*art de la table.* Il doit à ses invités de se conduire avec savoir-faire. J'ai eu quelques hommes dans mes cours et ils deviennent rapidement des perfectionnistes. Etre invité chez un célibataire pour dîner peut devenir une expérience agréable, truffée de surprises heureuses.

Chapitre IV

Le thé

Recevoir pour le thé est toujours amusant, agréable et peu coûteux. Il y a cependant plusieurs façons de recevoir pour le thé. Le « tea-reception » peut même remplacer une invitation à dîner. On le donne très souvent pour une réception de mariage.

Le thé intime

Un thé intime est habituellement réservé aux femmes seulement. Mais si vous prévoyez inviter un grand nombre de personnes, le thé sera mixte. L'heure pour le thé est prévue dans les règles de l'étiquette et doit en principe se situer entre 4 heures et 6 heures p.m. Cependant, la plupart des thés ne commencent pas avant 4h30 et en Europe, rarement avant 5 heures p.m. Il dure au moins une heure et demie. Si vous invitez vraiment un grand nombre de personnes, vous ferez chevaucher vos invitations. Un premier groupe viendra de 4 heures à 5h30, un deuxième groupe de 4h30 à 6 heures. Cela permet un meilleur service de la part de l'hôtesse.

Un thé entre femmes peut se servir à peu près partout dans la maison. Le thé est servi par l'hôtesse, assise devant son plateau. Elle se tient sur le sofa, ayant à sa droite l'invitée d'honneur ou la dame la plus respectable ou la plus âgée.

Un thé d'après-midi. Milieu de table: composition de fleurs fraîches et de fleurs de soie, dans une harmonie de blanc et de rose, accentuée d'un peu de rouge. Devant chaque invitée, une porcelaine que chacune gardera en cadeau. Le plateau de thé est près de l'hôtesse qui sert, assise. Porcelaine et argenterie.

Les autres invitées sont assises autour de la pièce et viennent chercher leur tasse préparée par l'hôtesse pour chacune. De petits sandwiches de fantaisie et des biscuits sont offerts en même temps.

Le thé semi-officiel

Un grand thé doit être organisé dans ses moindres détails à la façon d'un buffet. A cette occasion, vous prévoyez également de servir du café, pour ceux qui le préfèrent. Si votre table est assez grande, disposez-y tous vos accessoires. Sinon, dressez une table pour le thé et une pour le café. Il est toujours élégant de couvrir la table à thé d'une jolie nappe. Cette table doit être ornée avec imagination. Mettez-y, au milieu, des fleurs dont les couleurs s'harmonisent avec l'ensemble de la pièce. Les chandelles sont indispensables lorsqu'il fait noir dehors. Pourquoi ne pas les mêler à votre arrangement de fleurs? Vous les allumerez lorsque la nuit descendra.

Sur un côté de la table, vous placez le plateau de thé, sur lequel sont disposés: la théière, le pot à lait (contenant du lait chaud), le sucrier (rempli de cubes de sucre) et sa pince à sucre, une petite soucoupe pleine de tranches de citron et une petite fourchette pour les saisir. L'hôtesse s'asseoit devant ce plateau et sert. Les tasses à thé et les soucoupes sont placées sur une desserte, près d'elle. De petits plats à sandwiches et des napperons sont disposés près du plateau. Le rhum et le brandy sont facultatifs.

L'autre côté de la table est réservé au service du café ou du chocolat qui peuvent être servis par une amie, ou une domestique, mais les invités peuvent très bien se servir eux-mêmes. Le café est toujours servi par une personne qui reste debout.

Si vous avez une domestique, elle peut aussi passer le café. Celui-ci peut être servi dans de larges tasses ou des demi-tasses. Comme le thé est le breuvage vedette à un thé, le service le plus élégant et l'argenterie doivent être réservés à la partie de la table où il est servi.

Les invités se servent eux-mêmes à manger, comme à un buffet. On sert, de coutume, de petits sandwiches de fantaisie, des tranches de gâteau, des petits fours, des biscuits, des menthes, des bonbons et des chocolats pour accompagner le thé.

Le thé britannique

Un *thé britannique* est habituellement très élégant et comprend: de petits gâteaux, des éclairs, des muffins, de petits crêpes grillées ou des brioches truffées, des biscottes avec du beurre et des confitures, ainsi qu'une variété de sandwiches au homard, au thon, au saumon, au jambon, au poulet, aux oeufs, à la sardine, au concombre et au cresson. Les invités peuvent s'asseoir, se tenir debout ou circuler à leur convenance.

Le thé grande cérémonie

La version officielle du thé, est le « tea-reception ». Il peut être très élégant et remplacer une invitation à dîner officielle. Il présente l'intéressant avantage d'être assez peu coûteux. On le donne aux mêmes heures que le thé, mais les invitations doivent être envoyées à peu près deux semaines à l'avance, par écrit. Les femmes, pour l'occasion, portent en général des robes d'après-midi très élégantes avec chapeaux et gants. Les hommes s'habillent de foncé. Règle générale, le « tea-reception » est donné en l'honneur des mariés, ou d'un anniversaire de mariage, ou encore pour célébrer une nouvelle association d'affaires, l'arrivée d'un membre important d'un comité ou l'arrivée d'un nouveau voisin.

Dans la plupart des « tea-receptions », on sert également

Thé grande cérémonie. Milieu de table: chandelier garni de fleurs. Bouquets de fleurs attachés autour de la table. Porcelaine fine et service d'argent.

un sherry ou le champagne. Mais la boisson principale demeure le thé et quelqu'un qui n'aurait pas siroté sa tasse de thé avant de s'abreuver au «nectar des dieux» prévu par l'hôte, est considéré comme impoli. Selon les règles de l'étiquette, toutefois, on ne prévoit pas resservir indéfiniment ce champagne. Les invités doivent prendre un ou deux verres, s'ils ne se contentent pas seulement de thé.

L'arrangement de la table à thé est, à la base, le même pour tous les thés. L'hôtesse est assise devant le plateau de thé, ayant près d'elle, sur la desserte, les tasses et l'argenterie. Si l'hôtesse ne peut faire le service du thé (dans le cas de la mère de la mariée, par exemple) elle demande à une femme de sa famille ou à une amie de le faire à sa place. A l'opposé de la table, le champagne ou le sherry attendent d'être servis par un domestique, ou s'il n'y en a pas, par l'hôte. Les verres sont alignés sur la table avec un seau très élégant pour le champagne. Ce seau à glace peut d'ailleurs être décoré de fleurs. Le champagne doit être servi avec une serviette blanche enroulée autour du goulot; ce qui évite de réchauffer le champagne à la température des mains.

La table, pour un thé de cérémonie, spécialement s'il s'agit d'une réception de mariage, sera recouverte d'une nappe blanche damassée ou d'une très belle nappe brodée.

Les serviettes de table doivent être assorties. Le champagne, lui, peut s'accompagner de jolies serviettes en papier de soie. Le milieu de table devrait être un arrangement floral agrémenté de chandelles. On allume celles-ci à la brunante. Comme il n'y a aucun invité assis à cette table, l'arrangement peut être réalisé en hauteur. Ce genre d'arrangement embellit divinement votre table.

Le boire et le manger

Le buffet servi à un « tea-reception » est encore plus

élaboré qu'à un simple thé, mais reste quand même dans les limites: sandwiches et pâtisseries. Il n'est pas nécessaire de servir un plat chaud. Aucun couteau n'est placé sur la table à thé excepté le couteau à découper le gâteau.

Ici aussi, les invités circulent, s'asseoient ou se tiennent debout où bon leur semble. Ils doivent quitter une heure ou une heure et demie après leur arrivée, mais doivent au moins être présents une demi-heure à la réception.

Si vous offrez à vos invités du rhum ou du brandy, vous l'aurez versé dans une bouteille de présentation: carafe de cristal, etc ... et le contenu aura été indiqué sur la bouteille. Les invités se servent eux-mêmes, mais il n'y a aucun verre prévu pour ces alcools. Ils ne sont là que pour être versés dans la tasse à thé.

Le raffinement

Pour un « tea-reception » très important, on devrait prévoir un petit groupe de musiciens, accompagnant de musique douce les allées et venues des invités. Comme je l'ai déjà mentionné, les musiciens continuent à jouer cinq minutes après le départ du dernier invité.

Les invités se présentent eux-mêmes entre eux. L'hôte, quand il n'est pas occupé à servir le champagne ou le sherry, fait le plus de présentations possible. L'hôtesse ou sa représentante ne doit pas quitter son siège derrière le plateau de thé. Elle n'accepte aucune aide de personne. Même si vous avez des domestiques, il est préférable que le thé soit servi par vous. C'est une cérémonie qui ne peut être présidée que par l'hôtesse et chaque invité est honoré d'être servi par elle. Les invités saluent leurs hôtes en arrivant et remercient avant de partir.

Chapitre V
Le "cocktail-party"

Le «cocktail-party», tout comme le thé ou le «tea-reception», est une façon ingénieuse d'inviter un grand nombre de personnes sans être préoccupé par l'insoluble problème de les asseoir. Contrairement au thé, cependant, un cocktail peut être assez coûteux.

On invite pour un «cocktail-party», la plupart du temps de 7 heures à 9 heures p.m. Les invités n'ont pas à arriver à l'heure indiquée. Il n'est donc pas impoli de quitter après une demi-heure si l'on a pu parler à la plupart des invités présents. L'hôte et l'hôtesse veillent à ce que le plus grand nombre d'invités possible soient présentés les uns aux autres et à ce que personne ne soit laissé pour compte. *On ne devrait surtout pas laisser une femme seule, sans lui trouver quelqu'un avec qui elle puisse nouer conversation.* Tous les invités sont accueillis par l'hôte et l'hôtesse et tous vont les saluer à leur départ avec un mot de remerciement.

Un «cocktail-party» n'est pas nécessairement suivi d'une invitation à dîner. Cependant, les invités les plus importants, l'invité d'honneur, ou de très bons amis, sont parfois invités à dîner au restaurant, après le cocktail.

Il y a des gens qui ont tendance à étirer un «cocktail-party» jusqu'à minuit. Certaines hôtesses, surtout les hôtesses seules ou célibataires, prévoient un dîner à l'extérieur et invitent ceux-ci à se joindre au groupe, pour parer à la situation. Il est de pratique courante, alors, que les messieurs du groupe se partagent l'addition. Cependant, si l'hôtesse célibataire veut offrir ce dîner, elle doit s'arranger pour que la facture ne lui soit pas présentée à table. Ainsi, les invités masculins ne seront pas embarrassés.

Pour offrir un « cocktail-party », les occasions sont multiples. On peut avoir une raison sociale ou d'affaires, peu importe. Ce que les «cocktail-parties» ont en commun, c'est qu'ils permettent à un grand nombre de personnes de se rencontrer sans trop de formalités, dans des circonstances agréables. Ces réceptions donnent à l'hôtesse l'opportunité de rencontrer plusieurs de ses obligations sociales en même temps. Mais elle doit quand même faire attention de ne pas inviter trop de gens. Le coude à coude n'est pas très amical et parfois même intolérable.

Comment procéder

Le bar doit être installé dans la pièce où l'on reçoit. De petites bouchées sont placées dans de grands plateaux et offertes à chaque invité. Tous les aliments sont préparés en petite portion, de façon à être mangés facilement. Les petites assiettes ne sont pas obligatoires mais on peut en prévoir. Les serviettes peuvent être en papier mais les verres ne sont surtout pas en plastique! Cependant il n'est pas nécessaire qu'ils soient de qualité supérieure, ni de cristal.

Chaque « cocktail-party » semble laisser des marques désagréables: taches sur un tapis, brûlures de cigarettes sur un meuble, bris de verre, etc ... Voilà pourquoi il est sage de prévoir les cendriers, les sous-verres et les serviettes en grand nombre ... et de remiser les bols précieux et les sculptures de prix. On doit prévoir à peu près trois verres par invité. L'hôtesse ne sera pas obligée de laver ses verres en présence de ses invités.

Les noix, les olives, les croustilles, les biscuits au fromage, les menthes, doivent être placés autour de la pièce de façon que chaque invité puisse se servir lui-même de ce qui lui fait le plus envie. Tous les plateaux et les bols sont regarnis au fur et à mesure qu'ils se vident. De même, les verres sont remplis par l'hôte ou le barman.

La façon de servir les cocktails se trouve au chapitre VI, sous la rubrique *Le rituel des boissons.* On y trouvera également des recettes pour réussir des cocktails originaux. N'essayez pas cependant de recettes compliquées sans l'aide d'un barman professionnel. Ce qui est charmant et très apprécié, c'est lorsque l'hôte a une recette-maison. Une spécialité. Un cocktail qu'il a créé. Mais cela mis à part, il vaut mieux s'en tenir aux boissons traditionnelles et éviter les mélanges de haute fantaisie.

Quoi servir, quoi porter

Les boissons offertes à un « cocktail-party » ne doivent pas nécessairement être des cocktails. Certains invités préfèrent le sherry, le porto, les vins ou les jus de fruits et de légumes. On doit toujours en avoir sous la main.

Mais la vodka, le gin, le whisky restent les indispensables de base avec les inséparables soda, « tonic » et compagnie.

La simplicité d'un «cocktail-party» est soulignée par la simplicité des tenues vestimentaires féminines et masculines. A moins que l'on ne précise une tenue réglementaire sur la carte d'invitation. Cependant, on s'attend à ce que les hommes soient vêtus de foncé. Les femmes portent ce qu'il est convenu d'appeler une robe cocktail ou un joli costume-pantalon. Dans certains pays, la robe longue «décontractée» est de mise pour ces cocktails. Plusieurs provinces canadiennes semblent vouloir adopter cette charmante coutume. Règle générale, si vous êtes invitée à un «cocktail-party» en pays étranger, il est sage de demander à l'hôtesse ce qu'elle s'attend à vous voir porter.

Les invités doivent faire savoir à leurs hôtes s'ils prévoient assister ou ne pas assister à leur cocktail. L'hôtesse doit connaître le nombre d'invités qu'elle reçoit.

Chapitre VI
Le rituel des boissons

Les vins

Le bon vin réjouit le coeur de l'homme, disaient les Romains. Il n'y a pas de meilleure sentence pour ouvrir ce chapitre, sur un sujet aussi fascinant que volumineux.

On a beaucoup écrit sur le chapitre des vins. La vraie discussion appartient aux experts. Mon unique souci est de faire connaître à l'hôtesse, les détails de base qu'elle ne peut se permettre d'ignorer.

Habituellement, la préparation du menu, de la décoration, de la «mise en tenue» de la maison, sont les rôles dévolus à l'hôtesse. L'hôte, lui, se fait un point d'honneur de choisir les bons vins pour accompagner le repas. Cependant, toute hôtesse avertie connaît ses vins et les informations qui suivent aideront aussi bien l'hôte que l'hôtesse.

A l'origine, les grandes régions vinicoles d'Europe appartenaient aux vieilles familles nobles. Jusqu'au siècle dernier, on produisait le vin surtout pour la table des aristocrates. Aujourd'hui nous faisons montre de richesse, ou de bon goût, par l'acquisition d'oeuvres d'art ou d'antiquités; les aristocrates d'hier plaçaient en plus une grande partie de leur fierté dans la qualité de leurs vins.

La bouteille poudreuse

Dans mon enfance, il aurait été impensable qu'un gentilhomme ne connaisse pas sur le bout de ses doigts toutes les propriétés d'un bon vin. La température, l'année, les vignobles, les qualités d'une bonne vigne; toutes ces choses étaient étudiées avec respect. Le cellier était pratiquement un sanctuaire, où chaque bouteille et son précieux contenu était manipulée avec précaution, selon un horaire prévu. Je me souviens d'avoir eu un jour, la permission d'accompagner mon père dans le cellier sombre et frais, pour goûter d'une vieille bouteille empoussiérée qu'il avait choisie. La poussière d'une vieille bouteille de vin rouge ne doit pas être frottée: on l'enlève en soufflant dessus. On n'enveloppe pas non plus cette bouteille d'une serviette lorsqu'on est prêt à servir le vin.

Les vins frais et le champagne sont enveloppés d'une serviette, au moment de servir. On ne laisse pas une bouteille de vin rouge debout avant de la servir. Un vin avec sédiment se sert couché dans un panier à servir le vin, ou décanté, c'est-à-dire transvasé dans une carafe, de façon que le sédiment reste dans le fond de la bouteille. Tous les vins rouges sont ouverts entre une demi-heure et une heure avant d'être versés. Le vin rouge a besoin de respirer, afin de développer son bouquet. Débouchez-le lentement.

Notre façon très simplifiée de vivre aujourd'hui, nous permet d'apporter le vin rouge dans la salle à manger le matin de la réception. La température de la pièce conditionne le vin. Il n'est donc pas nécessaire de le décanter, ni de le verser d'un panier à vin, si le sédiment s'est déposé au fond de la bouteille. Les vins rouges sont toujours servis à la «température de la pièce», c'est-à-dire environ 65°F.

Blanc, rouge, rose? où? quand? comment?

Les vins blancs, le champagne et les vins rosés sont servis frais. Quand il fait vraiment chaud et que l'on reçoit à l'extérieur, ce sont les rosés, très légers, qui sont les vins les plus appréciés. Il y a une distinction à faire entre les vins sucrés et les vins secs. Les vins sucrés ne se servent pas avant ou durant le repas. Ils enlèvent l'appétit. On les réserve pour le dessert, ou on les déguste entre les repas.

Les vins rouges secs contiennent peu de sucre et présentent un large éventail: bourgogne, bordeaux, hermitage, bromilly, châteauneuf-du-pape, chianti, barolo, barbera. Vins portugais et vins hongrois. Les vins de Californie sont de plus en plus prisés et deviennent meilleurs d'année en année. Un bon vin de table doit toujours accompagner agréablement un mets, et non pas en tuer le goût.

Les vins blancs secs ainsi que le champagne se servent tout le long du repas. Le vin rouge sec peut lui aussi se servir du début à la fin du repas, si on ne sert ni poisson, ni fruits de mer. Cependant, certains plats de poisson cuisinés au vin rouge sec, seront accompagnés du même vin. Cela est fréquent au Portugal et en Espagne.

Les vins blancs secs viennent de la Moselle, du Rhin, de la Bourgogne, de la région de Bordeaux et comprennent également le muscadet et le sylvaner alsacien. L'Italie, pour sa part, produit du chianti blanc entre autres. La Suisse: le neuchâtel; sans compter les très populaires et très variés vins blancs d'Autriche, ainsi que ceux de la Hongrie, du Portugal et de la Yougoslavie par exemple.

Un dîner élaboré demande que l'on serve le sherry avec la soupe. Le vin blanc sec avec le poisson, le poulet, la cervelle ou les fruits de mer, et le vin rouge sec, avec la viande rouge, le canard et l'oie. Les vins rouges sucrés, tels les portos et certains sherries sont servis avec les noix et les fromages; le cuscat italien et le madère pour le dessert. Les vins blancs sucrés, tels le malaga, le tokay, les champagnes semi-doux et doux, le porto blanc et les sauternes sont servis avec les desserts.

Les experts sont à votre service, profitez-en!

Le porto, le sherry et le madère peuvent être décantés. On en pratique la coutume dans certaines bonnes maisons. Mais servir un vin dans sa bouteille, spécialement s'il est d'une année rare, est toujours de mise. La relation entre vins et aliments est assez simple. Ils se complètent les uns les autres. En Angleterre, et aussi en Allemagne on consulte toujours son marchand de vin. C'est une coutume que l'on devait adopter ici. La plupart des importateurs sont très heureux d'être consultés sur leurs vins. Ils ont toujours plusieurs experts à leur service, pour vous conseiller sur le type de vin qui agrémentera le mieux votre dîner. La nouvelle *Maison des Vins* à Montréal et aussi celle de Québec, en sont les meilleurs exemples; là comme en Europe, on vous conseillera sur votre choix de vin.

Règle générale, on sert les vins de table blancs avant les rouges; un vin léger avant un vin lourd et un jeune avant un vieux. Un vin très fort ou très vieux ne rend pas justice à un mets délicat. Par contre, il peut revaloriser un plat sans goût précis.

Un vin rare, âgé et d'une très grande classe, est ouvert juste avant d'être servi, afin qu'il garde son bouquet intact. Il doit *toujours* être décanté dans une carafe, à cause de son épais sédiment, et on le déguste avec un fromage approprié, à la fin du repas.

Si l'on cuit de la viande dans un vin, ce même vin devrait être servi pour l'accompagner. Tout au moins un vin de la même trempe.

Les vins rouges s'accommodent mieux de la forte saveur de la venaison. Un vin rouge qui a du corps, se sert avec la viande de bison, le steak d'ours ou toute autre venaison. Le vin rouge plus léger devrait être choisi pour accompagner le coq de bruyère, le faisan et la perdrix.

Les vins blancs sont rehaussés par le pigeon, la caille, de même que par le poulet de grains. Il est cependant admis de servir le rosé sec avec ce dernier.

Le canard sauvage ou domestique réclame du vin rouge. Le lapin domestique, du blanc, mais le lapin de garenne, du rouge.

Le moment est venu de parler *dégustation vins et fromages*.

C'est une formule d'invitation très populaire; non rigide et très gaie. Les vins blancs secs seront servis avec les fromages doux et semi-doux. Les vins rouges secs, avec les fromages forts. Le porto, le sherry et le madère, avec les fromages les plus forts. Il est de pratique courante de servir des noix, des raisins, des pommes et des poires avec ces fromages.

La populaire dégustation vins et fromages

Une dégustation vins et fromages se prépare à la manière d'un buffet. Vous pouvez aussi prévoir un réchaud, avec un service de fromage chaud, pour des trempettes de pain frais.

Présentez les fromages dans leur état naturel. Evitez de les découper en petites portions ou en cubes. Les invités se serviront des parts à leur convenance. Si, pour une question de couleur et de décoration, vous voulez entremêler fromages et olives ou cerises, etc... choisissez les fromages de moindre qualité pour ce faire et laissez les fromages de première qualité non coupés. On doit couper les fromages ronds en pointes, plutôt qu'en tranches. N'oubliez pas qu'il faut un couteau différent, sur un buffet, pour chaque variété de fromages — pas pour chaque convive.

En plus de la trempette, des légumes crus, des fruits, du pain et des biscottes non salées, on calcule un quart de livre de fromage par personne, si votre dégustation dure environ deux heures. Vous devez avoir une bonne variété de fromages et les morceaux doivent être assez consistants, pour offrir un joli coup d'oeil.

Kirsch, boursault, oka, gouda, gruyère, boursin au poivre, à l'ail ou aux herbes, tilsit, suisse, roquefort, camembert, emmenthal, autant de fromages recommandés pour une dégustation vins et fromages.

Fromages et fruits, voilà une très jolie combinaison. Des fruits frais et des fromages recherchés laissent à chacun l'impression qu'il a fait un excellent dîner. Servez les fromages avec du pain croûté, des biscottes non salées, avec des salades (si vos amis en manifestent le goût; en France, on accompagne rarement le fromage de salades, parce que le Français ne mange jamais de salades avec le vin), ou avec des fruits. Avec les poires, choisissez un bon taleggio ou un gouda âgé. Avec les pommes rouges, un bon suisse ou un oka. Un double-crème Gervais, avec les fraises fraîches. Le raisin va avec le brie ou le camembert. En passant, ce qui est très prisé, c'est du parmesan avec un fruit pour le dessert. Si vous avez de nombreux invités, il serait mieux de vous restreindre aux vins rouges et blancs.

Les dégustations bières ou cidres, et fromages, deviennent de plus en plus populaires au Québec. Vous procédez de la même façon pour recevoir et remplacez simplement le vin par la bière ou le cidre.

Apéritifs, cocktails et «highballs»

On ne devrait jamais trop étirer l'heure de l'apéritif avant une invitation à dîner. Ne servez que des hors-d'oeuvre très légers pour l'occasion. Les invités, eux, arrivent entre l'heure prévue pour le début du dîner et l'heure fixée pour le cocktail, au moins dix minutes avant le dîner. Vous ne préparez les cocktails que lorsque deux ou trois invités sont arrivés. Si vous avez un barman, engagé spécialement pour l'occasion, vous pouvez vous permettre une variété de cocktails. Sinon, ayez au moins sous la main des apéros déjà prêts à servir, tels que le sherry, le porto blanc sec ou le vermouth. Bien sûr, scotch, rye, gin, vodka sont déjà en votre possession, prêts à être additionnés de soda, « bitter lemon », etc; vous avez aussi préparé des liqueurs douces et des jus de fruits pour ceux qui en feront la demande.

Les martinis secs et les vodka-martinis sont très populaires et faciles à préparer ainsi que les « bloody marys », les « manhattans », et les « old fashioned ». Règle générale, les hommes ne sont pas particulièrement attirés par les cocktails trop fantaisistes ou trop sucrés. Ils sont trop compliqués à faire et leur coupent l'appétit.

Pour les invitations à l'extérieur, (jardins, terrasses) durant l'été, il est sage de servir des gins additionnés de « tonic » ou de « bitter lemon », des vodkas « tonic » ou des cocktails au rhum («planters punch», «coconut punch», etc.) Beaucoup d'hommes, cependant, sont très heureux avec un scotch sur la glace additionné d'un peu d'eau.

Vous ne commettez aucun impair si vous servez l'un de ces apéritifs avant le dîner: martini, « manhattan », « old fashioned », « bloody mary » et « daiquiri » (spécialement en été).

Les boissons favorites l'après-midi ou en soirée sont: « rhum cola », « collins », « screwdriver » (vodka et orange), le punch ou les cocktails de fruits.

La réception devrait être amusante autant pour vous que pour vos invités.

Soyez sûre que vous avez de quoi boire et de quoi manger en quantité suffisante. Vous serez la première à vous en réjouir.

Dans les cocktails qui précèdent les dîners, on alloue une demi-heure ou trois quarts d'heure avant de commencer le repas; c'est-à-dire deux verres d'une once et demie par personne, environ. Vous prévoyez donc une bouteille de vingt-cinq onces pour huit personnes. Si vous servez du vin au dîner, prévoyez une bouteille de vin pour quatre personnes environ.

En général, les invités à un « cocktail-party » restent une heure et quart. Ils auront eu le temps de boire trois verres d'une once et quart à une once et demie environ. Il est sage de prévoir une bouteille de vingt-cinq onces de gin, de whisky ou d'une autre boisson par six invités. Ayez une bouteille de vermouth français (sec) pour trois bouteilles de gin et une bouteille de vermouth italien (doux) pour trois bouteilles de whisky afin de répondre à la demande.

Bien sûr, il s'agit d'une moyenne. La capacité d'absorption diffère chez chacun. Informez-vous des habitudes des invités, si c'est possible, et usez de votre bon jugement. C'est la clé du succès.

Le sherry comme apéritif

Le sherry est le plus vieux vin de l'Europe centrale. Il était déjà bu en Espagne, quand les Phéniciens découvrirent la péninsule ibérique, mille trois cents ans avant Jésus-Christ. Les anglais sont les plus grands amateurs de « jerez » ou sherry. Aujourd'hui le sherry refait son apparition comme apéritif et sa popularité ne fait que s'accroître, surpassant même les vedettes: martini et « manhattan ».

Le sherry sec est habituellement bu en apéritif légèrement refroidi ou servi avec la soupe. On peut servir un « cream sherry », vin doux d'une grande richesse, entre les repas et avec les desserts. Le sherry très sucré, brun foncé, est servi avec les desserts et les noix. Il est toujours apprécié dans un cinq à sept.

Le kir de Dijon

Un autre apéritif dont la popularité monte en flèche dans notre société nord-américaine menacée d'ulcères et d'attaques cardiaques, est le kir de Dijon. C'est un mélange (1 pour 7) de crème de Cassis et de vin blanc sec. (La recette authentique: une partie de crème de Cassis et sept parties de chablis). C'est d'un effet très joli, quand la crème de Cassis mêlée à de la glace pilée est gelée, puis servie dans des verres-ballons géants, puis recouverte de vin.

Le champagne comme apéritif

Une invitation très élégante à dîner peut débuter par une coupe de champagne au lieu des cocktails usuels ou du sherry. En tant que vin, le champagne sec peut être servi avant et pendant le repas; le demi-sec ou le doux, avec le dessert ou après le repas. *Le champagne peut être servi du début à la fin d'un repas, comme seule boisson au menu.* Les connaisseurs de bons vins et de bonne cuisine préfèrent, comme apéritif, le champagne à toute boisson forte.

Recettes de cocktails

Les recettes qui suivent vont aider l'hôte et l'hôtesse à faire de leur réception une soirée réussie.

MARTINI

4 à 5 parties de gin ou de vodka
1 partie de vermouth sec
Glace pilée
Mélanger. Agiter. Verser dans un verre à martini.
Ajouter une olive ou un zeste de citron.

MANHATTAN

3 parties de whisky
1 partie de vermouth (doux) rouge
1 jet d'«angostura bitters»
Glace pilée
Mélanger. Agiter. Filtrer dans un verre sur pied.
Ajouter une cerise au marasquin.

OLD-FASHIONED

1 carré de sucre
1 jet d'« angostura bitters » sur le sucre
1 c. à thé (15 ml) d'eau

Placer dans un verre à old-fashioned avec un ou deux cubes
de glace.
Ajouter 2 parties de whisky, 1 tranche d'orange, 1 cerise au
marasquin.

BLOODY MARY

2 parties de jus de tomate
1 partie de vodka
Le jus d'un demi-citron
1 jet de sauce Worchester
Sel et poivre
Glace pilée
3 gouttes de sauce tabasco
Mélanger. Agiter. Filtrer dans un grand verre.

DAIQUIRI

1 partie de jus de lime
3 parties de rhum
Sucre
Glace pilée
Mélanger. Bien agiter. Filtrer dans un verre sur pied, dont

les bords ont été enrobés de sucre en poudre.

Servir avec une tranche de citron sur le rebord du verre.

RHUM COLA

2 onces (6 cc) de rhum, servis sur 2 ou 3 cubes de glace
Cola
Garnir d'une tranche de citron.

Servir dans un verre « highball ».

HIGHBALL

2 onces (6 cc) de whisky ou de brandy
Cubes de glace
Servir dans un verre « highball » en ajoutant du soda ou de l'eau plate.

COLLINS

De la glace pilée dans un verre « highball »
Le jus d'une demi-citron et 1 c. à thé de sucre
2 onces (6 cc) de gin ou de vodka
Ajouter du club soda et agiter.

SCREWDRIVER

Placer 2 ou 3 cubes de glace dans un verre « highball ».
Verser 1½ onces à 2 onces (6 cc) de vodka sur la glace.
Ajouter le jus d'une orange.
Agiter.

Recettes de punches

Les punches sont toujours préparés selon le goût du dégustateur. Certains les préfèrent sucrés, d'autres moins. Les uns avec alcool, les autres pas. Il est difficile de plaire « à tout le monde et son père ». Les recettes suivantes ne sont donc données qu'à titre de lignes directrices souples.

LIMONADE

Prenez 1 douzaine de citrons. Pressez-les, filtrez-les et fai-tes-les bouillir 5 minutes, avec 2 tasses (227g) de sucre et 2 tasses (¼ litre) d'eau froide. Ceci vaut pour la première partie.

Ajoutez 3 parties d'eau froide au mélange. Ajoutez des tran-ches de citron et l'écorce.

PUNCH AU CITRON

Vous n'avez qu'à ajouter du rhum, du gin ou du brandy à la citronnade.

PUNCH AUX FRUITS

2 pintes (2.8 litres) de jus d'orange
1 chopine (½ litre) de jus de citron
½ chopine (¼ litre) de jus d'ananas
1 chopine (½ litre) de jus de raisin blanc
1 chopine (½ litre) de sirop de sucre
(quantités égales de sucre et d'eau bouillis ensemble)
Garnissez de raisins.
Ajoutez du gin si vous désirez de l'alcool.
Donne 2 gallons (9 litres).

PUNCH SAUTERNE

1 pinte (1.4 litre) de jus d'orange
½ chopine (¼ litre) de jus de citron
1 chopine (½ litre) de jus d'ananas
1 bouteille de sauterne
1 bouteille de club soda ou de champagne
Versez le punch ainsi obtenu sur de la glace dans un bol à punch.
N'ajoutez le soda ou le champagne qu'au moment de servir.

Note: 1 pinte (1.4 litre) donne 8 verres à punch de 4 onces (11 cc).

PUNCH À L'ANANAS

1 ananas frais ou 1 bte d'ananas en rondelles
½ tasse (11 cc) de malaga
½ tasse (11 cc) de curaçao
½ livre (227g) de sucre
3 bouteilles de vin blanc sec
½ bouteille de vin rouge sec

Coupez l'ananas en cubes et laissez-le macérer dans le malaga, le curaçao et le sucre durant une demi-heure dans un récipient couvert. Puis ajoutez le vin rouge et le vin blanc. Donne 20 verres.

PUNCH AUX FRAISES

2 livres (1 kg) de fraises
½ livre (227g) de sucre
Le jus d'un citron
3 bouteilles de vin blanc sec
1 bouteille de champagne ou de vin mousseux

Laissez macérer les fraises avec le sucre, le jus de citron et 1 verre de vin blanc durant 1 heure, dans un récipient couvert.
Ajouter le reste du vin blanc. *Le champagne lui, n'est ajouté qu'à la dernière minute.*

« COLD GOOSE »

2 bouteilles de vin blanc semi-doux
1 bouteille de vin blanc pétillant ou de champagne
L'écorce de 2 citrons

Laissez macérer l'écorce de citron et le vin blanc pendant 15 minutes dans un récipient couvert.

Ajoutez des cubes de glace (pas trop, sinon le mélange devient trop aqueux).

Ajoutez le vin pétillant au moment de servir.
Donne 15 verres.

SANGRIA

1 citron
1 orange
2 onces (6 cc) de Cointreau
2 onces (6 cc) de vermouth doux
2 onces (6 cc) de gin
2 bouteilles de vin rouge sec
Coupez les fruits en tranches. Faites-les macérer dans le cointreau, le vermouth et le gin pendant une demi-heure. Ajoutez le vin rouge et les cubes de glace (pas trop).

Cognac, liqueurs et cordiaux

Le cognac et le brandy sont habituellement offerts aux invités mâles, pour accompagner le café d'après dîner. Les femmes, généralement, préfèrent une liqueur ou un cordial. Les liqueurs trop sucrées ne devraient cependant pas être servies trop tôt après le dîner. Une liqueur, servie en son temps, peut animer une réception, avec brio, en beauté.

Cognac est une petite ville de France, érigée sur les bords de la rivière Charente. Et quelque chose de magique se dégage de ce lieu. C'est un endroit peuplé de gens étonnants.

Parmi les noms très connus de la région de Cognac, il y a Ivar Braastad de *Courvoisier,* au Château de Jarnac. Jacques Firino *Martell,* au Château de Chanteloup. Francis *Hennessy,* au Château Bagnolet. Légalement, seul le brandy produit dans cette région du nord de Bordeaux peut porter la mention cognac. L'hôtesse qui sert ces marques réputées est sûre d'être dans la note.

Il existe une différence entre les liqueurs et les cordiaux. Ces derniers, pour tout dire, tirent leur origine de ces anciens breuvages, à base d'herbes, que l'on fabriquait dans un but médical pour guérir certaines maladies et non pour le simple plaisir du dégustateur. Les premiers cordiaux ont été faits par les moines, avec des herbes aromatiques qui croissaient sur les pentes de leurs domaines. Cela remonte au douzième siècle. Des producteurs commerciaux, plus tard, ont utilisé des fleurs et des fruits, pour créer ce que nous désignons aujourd'hui sous le nom de *liqueurs*. En 1575, Erven Lucas Bols fit usage d'épices qu'il importait, pour faire sa première liqueur. Il fonda, ce faisant, le célèbre *House of Bols*, aujourd'hui le plus grand producteur de liqueurs au monde.

Point n'est besoin d'avoir plus d'une liqueur ou plus d'un cordial à offrir après le dîner.

Cordial et liqueur s'offrent très bien à la visiteuse qui vient vous faire une courte visite au milieu de l'après-midi.

On les sert dans de très petits verres. Les cognacs et les brandies, au contraire, sont servis dans des verres à cognac, conçus pour qu'on les réchauffe dans une main et pour permettre d'en humer le bouquet en buvant. Un réchaud à cognac peut être utilisé, mais n'est pas indispensable.

Ce qui compte, c'est ce qui satisfait votre goût. La seule règle inviolable c'est que les rebords de votre verre à cognac doivent être incurvés pour conserver tout le bouquet du liquide. Le pied doit être assez long pour vous permettre de tenir votre verre entre le majeur et l'annulaire afin de mieux réchauffer la coupe.

Mariage heureux de chauds coloris: Un milieu de table riche en couleurs, prolongées par les tons de brun, ocre, orange et or de la vaisselle et des napperons. Une table fort appétissante.

Dégustation vins (ou bières) et fromages: Une desserte indispensable: les hors d'oeuvre, les fromages et le nécessaire à fondue trouvent leur place sur la tablette du haut; le pain, la salade, les biscottes sont placés sur la tablette du bas.

Buffet de Noël: La table est décorée aux couleurs de Noël: rouge, vert et argent. On y trouve les sapins traditionnels; à remarquer: les verres à liqueur garnis de mini-boules d'argent. Notons cependant qu'aucun pli ne devrait apparaître sur la nappe.

Le dîner d'argent: Verres rouges (pour le vin blanc seulement); une simple marguerite à chaque couvert; les arrangements de fleurs ne sont pas nécessaires ici: l'argenterie met toute la couleur et l'éclat.

Chapitre VII

Suggestions utiles

En certaines occasions, on se sent complètement perdu, faute d'expérience. Comment manger tel mets? Avec quel ustensile? Fourchette, ou cuillère? A quoi sert cette assiette? Ce verre?

Voici donc quelques conseils utiles qui vous éviteront à l'avenir toute situation embarrassante.

Le rince-doigts

L'usage du rince-doigts en argent remonte au XIIIe siècle. En effet, à cette époque et ce, jusqu'au XVe siècle, on mangeait habituellement avec ses doigts. Cependant, même en ce temps-là, le rince-doigts n'était pas aussi souvent utilisé qu'il aurait dû l'être.

De nos jours, on peut très bien servir des fruits au dessert, sans les faire suivre du rince-doigts. Mais celui-ci devient absolument nécessaire par exemple, après un repas de homard.

Le rince-doigts est normalement rempli au trois-quarts d'eau froide et décoré de pétales de fleurs, quand il arrive après les fruits; d'eau chaude et d'une tranche de citron, lorsqu'il est présenté après un repas de fruits de mer (homard, langouste, langoustine, etc).

Un dîner officiel avec conférencier invité

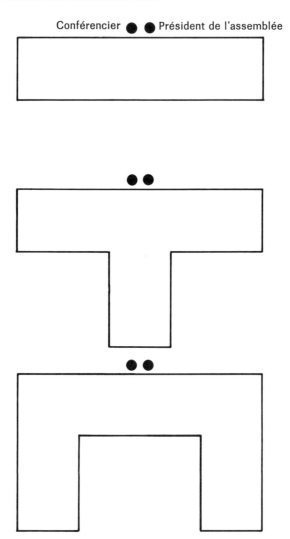

Le ou les conférenciers sont toujours assis au milieu, à la droite du président de l'assemblée, ou à sa droite et à sa gauche.

Ce rince-doigts peut arriver sur la table de trois façons différentes:

1. On l'apporte sur l'assiette à dessert, délicatement posé sur un napperon de toile ou de dentelle (jamais de papier). Si les ustensiles du dessert ne sont pas déjà disposés sur la table, la cuillère ou le couteau repose à droite sur l'assiette. La fourchette, à gauche. L'invité enlève le rince-doigts et son napperon de l'assiette et le place légèrement à gauche devant son assiette. Cuillère (couteau) et fourchette sont également disposés à droite et à gauche de cette assiette. L'invité est alors prêt à recevoir son dessert.

2. Occasionnellement, le rince-doigts est servi sur un napperon et sur son propre sous-plat. La règle commande alors de soulever ce sous-plat avec tout ce qu'il soutient et de le placer, toujours, à gauche de votre assiette.

3. Il arrive que l'on vous serve votre dessert directement dans votre assiette, sans passer par l'intermédiaire d'un plateau à dessert. Dans ce cas, le serviteur place lui-même le rince-doigts avec ou sans napperon, mais sur son propre sous-plat, devant chaque convive, légèrement à gauche de son assiette.

Rappelez-vous qu'il vaut mieux n'avoir pas de napperon du tout (ce qui est admis) qu'un napperon de papier.

Plongez légèrement vos doigts dans l'eau — juste le bout de chaque doigt. Utilisez le citron pour enlever l'odeur d'aliments qui s'y est attachée et asséchez-les à votre serviette de table.

Une coutume orientale très agréable consiste à présenter à table, à la fin du repas, de petites serviettes de table chaudes, imprégnées d'eau citronnée. On les amène sur un plat d'argent ou de porcelaine de Chine. C'est plus simple et complètement accepté en société.

Comment présenter le rince-doigts

vin à dessert

Si le couvert à dessert n'est pas placé au début du repas, on présentera l'assiette à dessert, le rince-doigts (sur un napperon si désiré), la cuillère (à droite) et la fourchette (à gauche), tel qu'illustré.
Puis le convive dispose ainsi les ustensiles et le rince-doigts.

rince-doigts

Lors d'un dîner très officiel, on ne devrait pas servir de mets qui réclament l'usage du rince-doigts. Il conviendra plutôt à un dîner semi-officiel, tout comme les cendriers et les cigarettes placés devant les invités. Les schémas ci-dessus illustrent un dîner semi-officiel.

Les napperons de service

Les napperons de service ne sont pas obligatoires, même dans les réceptions les plus officielles. Si on en fait usage, cependant, ils ne doivent jamais être de papier, ni même de dentelle faite à la machine. Les napperons de service doivent être brodés à la main, ou faits de dentelle véritable. Les plus simples sont ourlés à la main.

Ils servent à couvrir le fond de certaines assiettes de service; on y dépose les petits pains ronds, les toats melba, les craquelins au fromage, les petits fours. Le pain chaud, lui, est servi enveloppé dans une serviette de table blanche, repliée dessus pour en conserver toute la chaleur.

L'assiette de présentation

Elle est en porcelaine de Chine; en argent ou plaquée argent; en or, ou plaquée or; en étain; en cuivre ou en bois. Certaines assiettes de présentation, très élégantes, peuvent être en porcelaine de Chine antique, ou en cristal. Mais si vous avez un service de vaisselle pour douze personnes, et que vous n'en recevez que six, vous pouvez également utiliser l'assiette du service régulier comme assiette de présentation . . . si vous en avez assez pour faire un double service.

Cette assiette de présentation sert à soutenir l'assiette à hors-d'oeuvre et l'assiette à soupe. On l'enlève en même temps que l'assiette à soupe. Cependant, si un poisson est servi entre cette soupe et le plat de viande, et que l'assiette de ce poisson est plus petite, on garde l'assiette de présentation, pour ne la retirer qu'avec le plat de poisson terminé.

Il y a une règle stricte. On ne doit *jamais laisser la place vide devant un convive.* Un domestique enlève l'assiette de présentation de la main droite, à la droite de l'invité et la remplace par l'assiette du plat principal, de la main gauche, à la gauche du convive. L'hôtesse qui reçoit seule fait de même.

On ne doit *jamais* placer un napperon de service sur l'assiette de présentation. Les égratignures qui vont fatalement s'y inscrire patinent son aspect et lui confèrent une sorte de noblesse d'usage, appréciée des connaisseurs de belle argenterie.

Si vous êtes de ces hôtesses qui ont peur de voir abîmer leurs beaux plats d'argent... ne les utilisez pas. Il est tout à fait incorrect de les protéger par des napperons.

Quelques règles indispensables

Les bonnes manières et le savoir-vivre à table, peuvent aider considérablement un homme qui veut avancer dans sa profession ou son travail. Cela est tout aussi vrai pour la femme d'affaires. Il faut donc savoir comment, parfois, manger certains mets inhabituels, quand ils nous sont présentés.

Ce qui est tout d'abord très important à retenir, c'est que l'hôtesse qui reçoit, *n'est jamais servie la première.* On sert d'abord l'invitée d'honneur assise à la droite de l'hôte. Puis le service s'effectue normalement autour de la table jusqu'à ce que l'hôte soit servi en dernier.

S'il n'y a pas plus de six invités à la table, il est poli d'attendre que tous soient servis, avant d'entamer son repas. Si les invités sont nombreux, alors l'hôtesse prie chacun de commencer sans attendre que le repas soit froid dans les assiettes. Il est cependant poli d'attendre que l'hôtesse donne le signal du début du festin.

Quand vous avez fini votre plat, vous placez votre couteau et votre fourchette côte à côte au milieu de votre assiette, les dents de la fourchette en haut. Voyez à ce qu'ils ne soient pas en équilibre instable et ne tombent pas au moment où l'on retire votre assiette.

Il n'est pas obligatoire que vous mangiez tout ce qu'il y a dans votre assiette. Vous ne devez pas obligatoirement non plus y laisser quelque chose. Il est poli de goûter à tout ce que l'on vous présente, même si certains mets vous semblent bizarres et totalement inconnus. N'en prenez qu'un peu, et laissez le reste dans votre assiette si cela ne vous plaît vraiment pas. Si vous trouvez un corps étranger dans vos aliments, ne perdez pas votre sang-froid. Laissez votre assiette intouchée. Une hôtesse attentive va le remarquer tout de suite et remplacera votre plat. Elle vous demandera tout d'abord si vous désirez voir votre assiette remplacée. Répondez simplement: « Oui, s'il vous plaît », ou « Non, merci ... » et oubliez l'incident. De même, si un accident se produit à la table, couvrez-le le plus calmement possible et laissez le reste de la table continuer la conversation. En fait, toute la table devrait agir comme si rien ne venait de se produire et continuer à converser le plus naturellement du monde.

L'hôtesse demandera au domestique, s'il y en a un, d'aider l'invité(e). Sinon, elle doit être la seule à se lever et à prêter assistance.

L'hôtesse s'assure qu'aucun invité, à table, n'est laissé pour compte. Elle s'adresse à chacun de ses voisins également. De même, l'hôte parle sans discrimination à chacune de ses voisines. Un invité ne doit pas monopoliser la conversation. La table n'est surtout pas l'endroit à choisir pour faire étalage de ses propres appâts. Réservez le dîner à l'amitié. L'amour a d'autres temples et d'autres heures.

L'américaine et la continentale

Les manières à table sont un mélange de simplicité, d'élégance et de bon sens.

En Occident, il y a deux façons de bien manger: la conti-

Comment disposer les ustensiles

Fig. 1

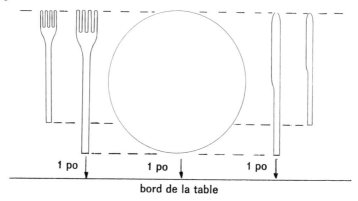

Les couteaux et les fourchettes sont placés à environ un pouce du bord de la table, également distants les uns des autres, de chaque côté de l'assiette; alignés du haut, inégaux du bas.

Fig. 2

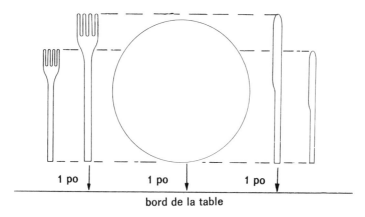

La façon la plus courante de placer le couvert: les ustensiles sont alignés du bas, à environ un pouce du bord de la table; disposés à égale distance les uns des autres, de chaque côté de l'assiette.

104

nentale et l'américaine. Cette dernière implique un changement constant de la fourchette, de la main gauche à la main droite, et oblige à placer le couteau sur le bord de l'assiette une fois que la viande est coupée. L'étiquette continentale, qui ne demande pas ce changement, se répand de plus en plus en Amérique du Nord.

On tient la fourchette de la main gauche, les dents en bas; la viande est ainsi maintenue, pendant qu'on la coupe de la main droite. Un peu de sauce est poussée, avec le couteau, sur le morceau de viande coupée et le tout, maintenu par les dents de la fourchette, se dirige sagement vers la bouche (dents tournées vers le bas). La fourchette n'est jamais utilisée comme une pelle ou une cuillère. On ne doit jamais charger sa fourchette de manière à être obligé de prendre deux bouchées à même une seule fourchettée. Si l'on veut faire une pause en mangeant, on dépose simplement sa fourchette sur le bord gauche de son assiette et son couteau sur le bord droit, sans que les manches touchent la table.

On coupe ses pommes de terre en les maintenant avec les dents abaissées de sa fourchette tenue de la main gauche. On pousse un peu de sauce dessus avec son couteau, de la main droite, et l'on procède pour manger de la même façon que pour la viande. Les pommes de terre pilées sont poussées sur un morceau de viande ou un légume de dimension respectable. Les pois sont pressés contre les dents de la fourchette, avec l'aide du couteau; ainsi ils ne roulent pas. Les dents de la fourchette sont toujours tournées vers le bas.

Il n'est pas convenable de mettre les coudes sur la table, pendant qu'on mange. On ne laisse pas non plus sa main appuyée sur le bord de la table, s'obligeant ainsi à pencher la tête pour manger. Les aliments doivent être dirigés avec aisance vers la bouche, la tête étant maintenue assez droite mais non rigide! La soupe chaude ne doit pas être aspirée bruyamment et l'on ne souffle pas dessus, sur sa cuillère, ou sur son plat, pour la refroidir. On attend un peu, simplement. Et on on prend au début en très petite quantité. Le temps du mouvement, ralenti, de l'assiette à la bouche . . . la petite portion a le temps de se refroidir.

On ne doit évidemment jamais parler la bouche pleine. Il n'est pas poli, non plus, de boire pendant que l'on mastique ses aliments. Avant de boire, on s'essuie légèrement les lèvres avec sa serviette de table.

Ne mangez pas trop vite, mais pas trop lentement non plus, essayez de respecter le rythme général de la table. Ne dévorez pas gloutonnement. Mais un appétit d'oiseau peinera davantage votre hôtesse. L'hôtesse, par délicatesse pour ses invités, ralentira son rythme si nécessaire, pour accompagner le plus lent de ses invités.

**Comment se mangent
l'artichaut, la banane,
les spaghetti**

ARTICHAUTS

Quand on vous présente un artichaut complet, vous en enlevez les feuilles une à une avec les doigts et saucez la base dans la sauce préparée à cet effet. La seule partie comestible est cette base tendre de la feuille. La partie non comestible de la feuille, on la place sur le côté de son assiette. Quand vous avez atteint le coeur du légume, vous le sectionnez hors de sa gaine à l'aide de votre couteau et de votre fourchette et le placez sur un côté de votre assiette.

Vous mangez cette base délicate, la meilleure partie de l'artichaut, avec votre couteau et votre fourchette, chaque portion étant préalablement trempée dans la sauce appropriée.

ASPERGES

Il y a plusieurs théories valables sur la façon de manger ses asperges. Il est parfaitement correct de manger ses asperges avec ses doigts ... mais cela n'est pas élégant. La façon de procéder qui suit est plus en usage. Utilisez votre fourchette pour séparer la partie tendre de la partie la moins comestible; plongez la pointe de l'asperge dans la sauce avec votre fourchette et mangez-la avec aisance. Vous pouvez aussi plier votre asperge en deux, à l'aide de votre couteau, et la manger avec votre fourchette.

AVOCAT

Le demi-avocat, servi avec sa pelure, vous est présenté avec sa petite cuillère. Si on le présente en salade, on le mange avec un couteau et une fourchette à dessert.

BONBONS ET CHOCOLATS

On les sert habituellement avec le café. Prenez-en un à la fois. Ne passez pas cinq minutes à faire votre choix. Prenez-le avec sa petite soucoupe de papier et placez-le dans la vôtre. Mangez-le en une ou deux bouchées, en le tenant dans vos doigts. Les chocolats sont toujours servis avec un verre d'eau glacée, jamais avec du vin ou du champagne.

CANAPÉS

Si on les sert avec l'apéritif, avant le repas, on les mange avec les doigts. Servis à table, on les mange avec la fourchette, sans couteau.

CÉLERI ET OLIVES

Servis avec l'apéritif avant le repas, on les mange avec les doigts. Les petites olives dénoyautées s'avalent en une bouchée; les grosses olives non dénoyautées se prennent avec les doigts. On grignote la chair autour du noyau. On dispose ensuite du noyau, discrètement. Si on les sert en garniture, sur des salades ou des sandwiches, on les mange avec les doigts. Le céleri est toujours mangé avec les doigts et on ne le coupe jamais avec un couteau.

FROMAGES

Quand un plateau de fromages est présenté aux invités, ceux-ci choisissent ceux qui leur plaisent, de même que les craquelins et les fruits qui les accompagnent peut-être. D'une façon plus officielle, on peut manger le fromage avec une fourchette. De même, la fourchette et le couteau à dessert font partie du service, lorsqu'on sert des fruits avec le fromage. Toutefois, dans la plupart des cas, un couteau à fromage est suffisant et il n'est pas contraire aux usages de déposer de petits morceaux de fromage sur du pain que l'on a rompu ou sur des craquelins. La parfaite hôtesse s'assure qu'il y a autant de couteaux sur la planche à fromages, qu'il y a de fromages. Chaque sorte doit avoir le sien.

FRUITS

Les ananas sont servis en tranches. On coupe le dessus et on détache le coeur en coupant autour. On peut facilement enlever le coeur avec un tire-bouchon avant de servir.

Les invités enlèvent l'écorce de leur tranche et mangent le fruit avec un couteau et une fourchette. Si on sert l'ananas coupé en morceaux, dans son jus, les invités mangent ce dessert avec une cuillère.

Les bananes sont pelées. On les pose ensuite sur son assiette et on les mange avec un couteau et une fourchette. D'une façon moins conventionnelle, on peut les peler, les briser en morceaux et les manger avec les doigts. Il n'y a que les très jeunes enfants qui sont autorisés à peler les bananes et, en les tenant dans une main, à prendre des bouchées à même le fruit.

Les mangues, dit-on, devraient être mangées dans une baignoire. Elles peuvent causer de vilaines taches et devraient être servies avec rince-doigts et napperon de papier. Les mangues mûres sont coupées en deux, de chaque côté du large noyau, puis en quatre. Maintenez le quart en place, avec votre fourchette, et pelez-le avec un couteau. Coupez-le en bouchées et mangez-le avec la fourchette. J'aime personnellement servir les mangues dans un bol à fruit, rafraîchies, déjà pelées, dénoyautées, coupées en bouchées et arrosées de grand marnier ou de cognac.

Il y a trois variétés de melons: les *cantaloups* sont mangés avec une cuillère à dessert et généralement servis en demi-portion. Les *melons d'eau espagnols (honeydew),* sont découpés en croissants. Ils sont mangés avec une fourchette et un couteau à dessert, ou avec une cuillère. Le *melon d'eau (pastèque),* est coupé en larges tranches. On enlève les graines avec la fourchette et on en mange des morceaux avec un couteau et une fourchette. On peut aussi en couper des morceaux que l'on mange ensuite avec ses doigts (façon plus familière).

On pèle *les oranges* en spirale, en Amérique du Nord. Pas en Europe. Je préfère trancher les deux extrémités du fruit, puis, le maintenant sur mon assiette avec la main gauche, je fais des incisions verticales dans la pelure pour le décortiquer. Une orange pelée peut être mangée avec les doigts, en quartier. A un dîner officiel, avec un couteau et une fourchette. Au déjeuner, on sert les oranges comme les pamplemousses.

Le pamplemousse est habituellement servi en demie. Avant de le servir, enlevez les pépins, et découpez. Détachez la chair entre les sections de peau. Faites également le tour du pamplemousse avec un couteau bien aiguisé pour détacher la chair de l'écorce. Les invités sucrent eux-mêmes leur fruit. Vous pouvez le présenter arrosé légèrement de sherry ou de cognac et décoré d'une cerise. Une merveilleuse façon de présenter le demi-pamplemousse, c'est de le déposer sur une grande feuille verte. On le mange avec une cuillère spéciale à pamplemousse ou une cuillère à thé.

Les pêches sont d'abord coupées en demies, puis en quarts. On enlève la peau de chaque quartier avec un couteau et l'on mange chaque section avec couteau et fourchette. Le jus de pêche tache désagréablement.

Les petits fruits sont mangés avec une cuillère. Quand les fraises sont servies entières avec leur queue, on les trempe dans le sucre en poudre de son assiette à dessert et après avoir mangé le fruit, on dépose la tige sur le bord de son assiette.

Les pommes et les poires sont habituellement coupées en quatre et pelées à table. On ne les mange entières qu'en pique-nique. Une fois pelée et coupée, la pomme peut être mangée avec les doigts. N'oubliez pas d'enlever le coeur d'abord.

On ne doit jamais arracher *les raisins* un à un d'un milieu de table. Coupez-en une grappe avec des ciseaux à grappes, placez-la sur votre assiette à dessert, puis mangez les raisins, un à la fois. Il est correct de retirer les noyaux ou la pelure délicatement de sa bouche, avec ses doigts, puis de les déposer sur le bord de son assiette, mais pas dans un dîner de cérémonie.

FRUITS DE MER

Les palourdes frites se mangent toujours avec une fourchette. Les palourdes cuites à la vapeur s'ouvrent d'elles-mêmes, si elles sont cuites à point et fraîches. (Ne mangez jamais celles qui ne sont pas ouvertes. Laissez-les). Tenez la coquille ouverte de votre main gauche, retirez l'animal de sa coquille, en le tenant par le cou, de la main droite. Saucez ce morceau dans du beurre fondu, ou le bouillon approprié. Toute la palourde est comestible à part le cou. Tout comme les huîtres, les palourdes ne doivent jamais être coupées. Certaines personnes aiment à boire le jus naturel, un peu salé. Un rince-doigts, rempli d'eau parfumée, devient essentiel après un tel repas.

Les homards et *les crabes* à écorce dure, sont servis grillés ou bouillis. On morcèle les pinces, dans la cuisine, avant de servir le plat. Extrayez la chair si possible entière, avec l'aide de votre fourchette à homard. Placez-la du côté de sa coquille. Coupez-en des morceaux avec cette fourchette, plongez-les un à un dans la sauce (beurre fondu pour le homard chaud, mayonnaise pour le froid). La matière verte (tomaly) est comestible de même que le corail qui est délicieux. Mangez-les avec la fourchette. Vous arrachez les petites pinces avec vos doigts et en extrayez la viande en mâchonnant l'écorce. (Evitez les affreux bruits de succion). Après l'estomac, la plus grande partie de la chair est dans la queue. Essayez de l'extraire de sa gangue, en un morceau, en coupant la coquille sur les côtés, là où elle est molle. Découpez en petites bouchées. Plongez-les dans la sauce ou la mayonnaise et mangez-les avec la fourchette.

Les moules peuvent être mangées avec les doigts ou retirées de leurs coquilles, avec une petite fourchette à huître. Les gourmets en boivent le jus dans une demi-coquille. Le rince-doigts est bien sûr indispensable après ce service et doit contenir de l'eau chaude parfumée ou de l'eau savonneuse.

Les huîtres sont maintenues de la main gauche et on utilise une fourchette à huître pour les détacher. Arrosez d'un peu de citron. Soulevez l'huître en la détachant le plus complètement possible . . . et avalez. Vous pouvez boire le liquide de la coquille après. Si un morceau d'écaille vous est resté dans la bouche, enlevez-le avec le pouce et l'index. Utilisez le rince-doigts.

On saisit *les crevettes frites orientales* par la queue, on les plonge dans la sauce d'accompagnement et on en prend des bouchées jusqu'à la queue. Déposez le morceau non comestible sur le bord de votre assiette.

Les crevettes cocktails sont, de tous les mets, *le seul qui peut être grignoté autour la fourchette, en deux ou trois bouchées.* Faites-le le plus gracieusement possible. N'essayez pas de les couper en petites parties sur le plat qui soutient votre coupe, ni non plus dans votre assiette à beurre.

On sert *les escargots* sur de petits récipients de métal ou des plats allant au four... qui sont très chauds quand on vous les présente. Vous avez donc une pince, spécialement conçue à cet effet, que vous tenez dans la main gauche pour saisir la coquille. Vous la maintenez fermement avec cet instrument et vous extrayez l'escargot avec la mini-fourchette de la main droite. On mange l'escargot en entier.

Le beurre à l'ail est le régal de ce plat. Vous trempez de petits morceaux de pain dans les cavités de votre assiette à escargot pour les imbiber de ce beurre, soit avec une fourchette, soit avec vos doigts.

GÂTEAUX

Les gâteaux secs sont brisés et mangés en petits morceaux avec les doigts. On peut aussi les diviser avec une fourchette à dessert et manger les portions ainsi obtenues avec cette fourchette. Un gâteau à la crème, ou un gâteau imbibé d'alcool est toujours mangé avec une fourchette. Les petits fours (ceux, très petits, servis aux réceptions de mariage), se mangent avec les doigts. Les autres petits fours: choux à la crème, napoléons, etc., se mangent toujours à la fourchette.

MAÏS EN ÉPI

Voilà un mets bien peu conventionnel! Il vaut mieux le réserver pour les repas à l'extérieur, les B.B.Q. et autres festivités de ce genre. De petites poignées à maïs, en argent ou autre métal, sont parfois placées à la gauche de votre couvert, près de la fourchette. Mais vous pouvez les ignorer si vous vous sentez plus à l'aise en mangeant votre épi avec vos doigts, enserrant solidement chaque extrémité.

OISEAUX . . . ET CUISSES DE GRENOUILLES

Les petits oiseaux tels que la caille, ainsi que les cuisses de grenouilles, peuvent en partie être mangés avec les doigts, si les ailes ou les jambes sont vraiment très très petites. On tient la cuisse dans une main, et la viande est directement grignotée autour de l'os.

PAINS CHAUDS ET RÔTIES

On peut les beurrer entiers quand ils sont chauds. Les muffins peuvent être coupés en deux horizontalement avant d'être beurrés. On les mange avec les doigts.

PETITS PAINS

Ceux-ci sont toujours divisés en deux et même en plus petits morceaux. On ne les coupe pas avec un couteau. On ne beurre jamais une tranche de pain entière, mais seulement bouchée après bouchée, au moment où l'on s'apprête à le manger . . . avec ses doigts.

POISSONS

Les tout petits poissons sont souvent mangés de la tête à la queue. Les petits poissons frits, tels que la truite ou l'éperlan, sont souvent servis entiers, avec la tête intacte.

On sépare la tête du poisson dans sa propre assiette. Puis on maintient le poisson en place avec sa fourchette et l'on fend le poisson sur la longueur, de la tête à la queue, avec le couteau à poisson. On l'insère alors sous l'os dorsal que l'on soulève délicatement de façon à séparer la chair des arêtes et on retire délicatement cette carcasse en s'aidant de sa fourchette. Il est permis de retirer les arêtes de sa bouche, avec le pouce et l'index. On les place alors sur le bord de son assiette. Il n'est pas nécessaire de cacher son mouvement pour procéder à cette opération.

POMMES DE TERRE

Si on vous sert des pommes de terre *entières*, il ne faut *jamais* les couper avec votre couteau, mais les diviser avec votre fourchette. *Seule* la pomme de terre « en robe des champs » peut être coupée avec un couteau. On peut lui enlever délicatement sa « robe », mais les vrais connaisseurs savourent chair et pelure. On prend les pommes de terre du plat de service, puis on les assaisonne et on y ajoute le beurre dans sa propre assiette. Les pommes de terre au four sont servies directement dans leur emballage aluminium. Vous tenez la pomme de terre de votre main gauche, vous ouvrez le recouvrement d'aluminium et vous insérer le beurre, déjà dans votre assiette, dans le légume chaud, avec votre fourchette. Salez, poivrez. Mangez de la main droite avec votre fourchette, en maintenant la pomme de terre enrobée de la main gauche.

Les croustilles se mangent avec les doigts, comme les pommes-allumettes. *Les pommes frites* avec une fourchette. Si elles sont géantes, coupez-les d'abord en deux avec votre fourchette avant de les manger. Il est de très mauvais goût de soulever une longue pomme frite avec sa fourchette et de grignoter après, parce qu'elle ne peut s'avaler d'une bouchée.

POULET

En général on mange le poulet avec un couteau et une fourchette, excepté dans un pique-nique. Il est cependant acceptable de manger un poulet avec ses doigts, s'il est frit ou rôti. Cuit de toute autre manière, il doit être mangé avec un couteau et une fourchette. Ne mettez pas les os de poulet dans votre bouche pour les mastiquer. Détail délicat: les petites cuisses de poulet offertes en hors-d'oeuvre devraient avoir un petit volant d'aluminium autour de la patte. On les mange avec les doigts.

Les RAVIOLIS se mangent avec une fourchette.

La SOUPE servie dans une tasse à bouillon, se boit. On maintient la tasse par l'anse droite seulement. S'il y a dedans quelques légumes légers, ou quelques nouilles, on les garde pour la fin, puis on les mange avec une cuillère. Bien sûr, si la soupe est servie dans une assiette à soupe, on la mange avec une cuillère. Vous remplissez votre cuillère dans un mouvement qui va du bord de la table au bord opposé de l'assiette. Celle-ci ne doit pas être trop près du bord de la table. On ne doit jamais souffler sur sa soupe, ni l'aspirer. Si c'est trop chaud, attendez.

Le SPAGHETTI est un aliment difficile à manger proprement et élégamment. Pour nous, nord-américains, il semble qu'une cuillère, en plus de la fourchette, nous soit de de quelque secours. Prenez quelques spaghetti avec votre fourchette et enroulez-les autour des dents à l'aide de votre cuillère, jusqu'à ce que le tout forme un petit monceau solidement enroulé. Mettez-le entièrement dans votre bouche. A mon avis, la meilleure façon de manger les spaghetti avec élégance, c'est encore de les couper avec votre fourchette en longueurs plus pratiques. Les Italiens crieront au sacrilège! En Italie, on ignore totalement l'usage de la cuillère et l'on plante sa fourchette directement dans l'assiette la tournant mécaniquement au centre jusqu'à ce que les pâtes soient bien enroulées ... et l'on avale le tout d'une seule bouchée. Le couteau est, évidemment, totalement exclus de l'histoire. Cette façon de faire n'est pas très élégante, cependant, et à mon avis, difficile.

La TÊTE FROMAGÉE est mangée sur des rôties ou des craquelins. On presse la viande sur un petit morceau de pain ou sur un craquelin à l'aide d'un couteau, et on mange le tout avec ses doigts.

Chapitre VIII

Le caviar

J'aimerais m'étendre un peu sur le sujet du caviar. Quand on parle de ces brillantes petites perles noires de la mer, on ne peut le faire qu'au superlatif et longuement. Le caviar est en fait l'ambroisie, la nourriture des dieux, tout comme le champagne en est le nectar, le produit le plus parfait du vin.

On ne sait généralement pas qu'il est possible d'avoir du caviar canadien, en dépit de la pollution du St-Laurent, de la rivière Rideau et de celle de Winnipeg, qui détruit l'existence de ce produit de valeur. Les amateurs avertis pêchent l'esturgeon comme un suprême délice. Très souvent on le vend aux Etats-Unis, fumé. Pour produire le caviar très coûteux de réputation internationale, un esturgeon doit avoir au moins dix ans. Malheureusement, on ne semble pas voir l'intérêt, au Canada, de laisser vivre l'esturgeon assez vieux pour lui permettre de produire du caviar. Cela est une tragédie pour le pays, car le caviar produit dans nos fleuves serait une source de revenu national. Cette tragédie est plus grande encore si c'est possible, pour les amoureux du caviar.

Un snob mange du caviar pour impressionner. Un homme simple en mange autant qu'il en veut, parce que c'est bon. Je n'ai jamais entendu parler que qui que ce soit ait fait une indigestion de caviar, peu importe la façon dont il est servi, ni en quelle quantité il est absorbé.

Le caviar peut être mangé à la mode polonaise ou roumaine: on le mélange avec des oeufs ou des oignons, ou on le mange avec des blinis russes (petites crêpes) ou des pommes de terre chaudes avec de la crème sure et on l'arrose de vodka, ou de champagne. De quelque façon qu'il soit apprêté, le caviar est toujours un miraculeux délice. Pour vous permettre de le goûter avec plus de joie, voici en quelques traits, ses sources et la meilleure manière de le servir.

Peu de gens en Amérique du Nord ont eu le privilège de goûter le caviar *mallossol,* russe ou iranien, frais. Le mot « mallossol » signifie: très peu salé. Et là réside tout son secret. Pour préserver le caviar, on doit lui ajouter une grande quantité de sel. Tous les caviars russes ou iraniens importés sont préservés de cette façon.

La plupart des caviars importés gris ou noirs nous viennent d'Iran. Ils sont moins chers que le caviar noir ou gris de Russie. Une livre de caviar importé n'a pas 16 onces mais 14 onces. Le prix courant de cette livre de caviar iranien importé est de plus de cent dollars.

D'où je viens, le caviar était régulièrement au menu. J'ai presqu'été nourrie au caviar et à la vodka. Je me souviens des « matins sucrés » quand les blinis nous étaient servis avec de la crème et des confitures et des « matins salés » quand ces blinis nous arrivaient avec du caviar et de la crème sure. Il y avait toujours un plat plein de glaçons, avec quelques livres de caviar y reposant, pour les « petites bouchées » ou « zakuski », en russe, avant le lunch. Un mets très répandu le soir, consistait en caviar, pommes de terre chaudes bouillies avec des grains de carvi, et crème sure, le tout accompagné de vodka et de champagne.

Le caviar russe, gris, tout grain et frais est réputé le meilleur au monde. Le *mallossol* tout grain iranien lui ressemble beaucoup. Les grains du *beluga* sont gros, noirs ou gris. Ils sont mous. Le caviar *ossietra* a parfois des grains plus petits et est brun-noir. Le caviar *sevruga* a également des grains plus petits. Une variété plus aromatisée et moins chère est le caviar russe *payusnaya*. Sa saveur est presque aussi forte que celle du caviar noir fraîchement pressé qui a l'aspect d'un pâté sombre. Certains connaisseurs préfèrent le caviar pressé à toutes autres variétés. C'est une question de goût personnel.

On dit que le meilleur caviar au monde est le caviar blanc iranien et qu'il est réservé à la table du Shah.

A mon arrivée au Canada, après quelques années sans caviar passées en Afrique du Nord, quelques amis m'ont initiée au caviar canadien, frais et noir. Merveilleuse découverte. Grande possibilité d'avenir!

Chose surprenante, beaucoup de Canadiens ignorent qu'ils ont, chez eux, ces « perles noires » précieuses, dont le prix est à la portée de la majorité.

En effet, on ne le vend que dix-huit dollars la livre!

Le caviar canadien noir et frais est vendu dans des pots à couvercle vissé. Il est très légèrement salé et ne peut être gardé au réfrigérateur que pour un court laps de temps. Son grain est plus petit que celui du caviar russe, ou iranien. Sa couleur se situe entre le gris et le noir. Il est brillant. Pas trop huileux et d'un goût assez délicat. Il est presque parfait. Certainement meilleur que le caviar iranien ou russe emballé sous pression, que l'on trouve dans les boutiques spécialisées, dont la teneur en sel et le prix sont beaucoup trop élevés.

Comment servir le caviar?

C'est assez simple.

Si vous êtes de ces personnes chanceuses qui viennent de recevoir un pot de caviar mallossol russe ou iranien, frais, ne transvasez pas ces précieux petits grains brillants dans ces pompeux et bien mal-nommés « bols à caviar ». Laissez le caviar dans son contenant. Il faut le manipuler le moins possible. Placez ce contenant dans un bol rempli de glace et servez le caviar à la cuillère. Ne l'étendez pas. Ne le mélangez surtout pas avec une vinaigrette, pas plus qu'avec du beurre (excepté si vous avez des blinis ou des pommes de terre chaudes). Pour l'accompagner, offrez de minces tranches de pain noir.

On doit toujours garder le caviar dans le réfrigérateur pour prévenir sa détérioration. Tous les caviars doivent être servis très froids, pas seulement frais. Le métal peut communiquer son goût au caviar. Si vous le transvasez dans un bol, assurez-vous que celui-ci est de porcelaine de Chine, ou de cristal. *Jamais en argent.* Il en est de même pour la cuillère. La prochaine fois que vous passerez devant une boutique d'antiquités et que vous verrez une petite cuillère en bois ou en ivoire, achetez-la pour votre prochaine réception au caviar.

Caviar et champagne sont délices de dieux. Ils illuminent un matin morne, éveillent l'appétit avant un lunch ou un dîner et terminent parfaitement une soirée. Mais il n'y a pas que le champagne pour l'accompagner, ce caviar. Personnellement, je préfère la douceur forte de la vodka. Naturellement, comme la vodka doit, à son tour, être arrosée par une boisson parfaite ... je bois du champagne après mon verre de vodka. Il y a des gens qui prennent de l'eau ... ce que je considère comme un sacrilège.

Les blinis

Ils n'ont de parenté d'aucune sorte avec les crêpes d'Aunt Jemima! Ils sont faits avec de la levure et la pâte est gardée toute une nuit à la température de la pièce.

Les blinis, ou crêpes russes, doivent être délicates et minces. Petites aussi: de 2½ à 3 pouces de diamètre. Etendez du beurre chaud et servez-en une à chaque invité. Couvrez d'une cuillère de bon caviar noir et d'une cuillerée de *smetana:* crème sure, réfrigérée et fouettée.

Inviter des amis à un festin de caviar et champagne, ou de caviar et vodka n'est pas une façon de faire de l'esbroufe. C'est une manière simple et élégante de dire: « J'apprécie votre compagnie et je vous offre donc le meilleur des mets, accompagné du meilleur des vins. »

Le caviar est le choix idéal pour une occasion spéciale, pour fêter un joyeux événement et apporter dans nos vies cette petite touche de grâce supplémentaire qui, partagée avec des amis, abolit les barrières . . . pour toujours.

Chapitre IX
Habiller la table

Les ustensiles

Il est assez difficile de choisir avec exactitude les ustensiles qui répondront à nos véritables besoins. A une certaine époque, les gens n'avaient pas ces problèmes. Ils se contentaient de leurs doigts!

Petite histoire

Ce n'est qu'au XVe siècle que les premières cuillères ont fait leur apparition. Elles étaient faites de coquillage ou de bois sculpté. Puis, pour les rendre plus faciles à manipuler, on leur a attaché un manche. Ensuite, les cuillères d'os sont devenues très populaires. Le fin du fin était d'avoir ses cuillères en ivoire. Chacun apportait sa cuillère avec lui, où qu'il aille, dans un petit étui attaché à sa ceinture. Plus tard, on les fit de cuivre, d'argent, de bronze ou d'or; la richesse et l'importance d'un homme se mesuraient à la qualité du métal dont sa cuillère était coulée. L'usage répandu de la cuillère a vraiment débuté en Angleterre au XVIe siècle. Au début, seuls les nobles ou les personnes très riches pouvaient se les offrir. Puis, peu à peu, les cuillères de cuivre et d'étain sont devenues d'usage courant chez le « petit peuple ».

Jusqu'au début du Moyen-Age on réservait l'usage du couteau pour la chasse.

Les toutes premières fourchettes étaient de longs bâtons utilisés par nos ancêtres pour piquer la viande et la maintenir au-dessus du feu. Ce n'est qu'au XVIe siècle que la fourchette est venue rejoindre le couteau et la cuillère pour former la panoplie des ustensiles de base. On n'a qu'à regarder les peintures des grands maîtres flamands comme Frans Hals (1580-1666) ou Rembrandt (1606-1669) pour comprendre que manger proprement avec des ustensiles devenait nécessaire. Les nobles et les gentilshommes du temps portaient de larges fraises et des collets de dentelle blanche qui s'accommodaient fort mal des habitudes alimentaires négligées du temps.

Il s'est passé beaucoup de temps, avant que le couvert n'évolue jusqu'à la forme assez définitive qu'il a adoptée aujourd'hui. Les fourchettes, par exemple, n'avaient au début que deux dents. Puis trois; mais déjà à ce moment-là, les dessins qui les ornaient étaient magnifiques. On peut en admirer quelques exemplaires au Musée de l'orfèvrerie Christofle à St-Denis, en France.

De nos jours, le couvert de base se compose d'une cuillère à soupe, d'un large couteau bien aiguisé, d'une grande fourchette, d'une petite fourchette à salade ou à dessert, d'un couteau à beurre ou à fruits et d'une petite cuillère à thé ou à café.

Quel métal choisir?

Le sterling est de l'argent massif utilisé en coutellerie depuis des siècles. Cela reste le choix le plus populaire des jeunes mariées, si elles peuvent se l'offrir ... ou se le faire offrir. Le sterling dure indéfiniment et plus on l'utilise, moins on a besoin de le polir. Avec le temps, il acquiert cette patine spéciale, tellement prisée des connaisseurs.

Tous les métaux s'égratignent. Il faut donc que vous manipuliez vos ustensiles avec soin, et que vous les rangiez dans un tiroir compartimenté ou les enveloppiez dans un linge spécialement traité pour éviter qu'ils ne se ternissent. La qualité du sterling est régie par la loi. Les normes de sa fabrication doivent y être apposées. Le poids et la qualité du dessin en différencient le prix.

L'argenterie plaquée

Cette argenterie a une base d'argent nickel (alliage de cuivre, de nickel et de zinc). Un bon placage d'argent a l'apparence du sterling, est aussi lourd et aussi bien balancé. Les fourchettes et les cuillères sont renforcées dans les bouts qui « travaillent » le plus, par une couche supplémentaire d'argent pur, plaqué. Certains placages sont garantis pour trois générations! Les autres sont pour votre vie. Recherchez les bonnes marques dans votre achat d'argenterie. Si vous payez beaucoup moins cher, c'est que les bouts ne sont pas renforcés et que la couche de revêtement en argent pur est très mince.

Les plaqués Sheffield sont faits d'une feuille de cuivre, insérée entre deux feuilles d'argent, un procédé découvert par Thomas Bolsover of Sheffield en 1743. Les méthodes modernes utilisent l'électrolyse pour recouvrir un métal par un autre.

Des couverts plaqués argent et recouverts d'or font très raffiné. Ils doivent être choisis avec grand soin. Cela convient à la maîtresse de maison qui donne des dîners très élaborés et très élégants. Ils sont très faciles d'entretien, se lavent dans le lave-vaisselle et leur prix ne dépasse pas celui des couverts plaqués argent. Ils ne ternissent pas facilement. *Le vermeil* est de l'argent pur recouvert d'or. Il est extrêmement cher.

Des couverts en acier inoxidable de bonne qualité peuvent être presque aussi coûteux que des couverts plaqués argent, parfois même plus. Ce métal moderne est un alliage d'acier, de chrome et de nickel. Il devient très populaire, surtout depuis que des orfèvres de qualité se sont appliqués à inventer des dessins modernes qui lui donnent fort belle allure. La patine d'un bon acier inoxydable diffère grandement de celle des imitations de qualité inférieure. Les meilleurs aciers inoxydables sont fabriqués en Suède, au Danemark, en France et aux Eats-Unis. Ils sont appréciés pour un usage quotidien et pour les invitations à dîner au jardin. Je préfère toujours mettre la table de mes dîners champêtres avec des couverts en acier inoxydable. Gardez votre argenterie pour les grandes occasions.

Demandez conseil aux experts de différents magasins avant de vous décider pour un achat aussi important. Soupesez la cuillère et la fourchette dans votre main. Voyez si le couteau se tient aisément. Demandez à votre fiancé ou à votre mari de tenir le couteau. Durant mes années d'expérience comme conseillère de la mariée dans un magasin de grande réputation de Montréal, j'ai découvert que les couteaux à longs manches étroits déplaisaient à la plupart des hommes. Ils ne les manipulaient pas avec aisance.

Il est avisé de commencer par acheter six ou huit couverts de cinq ou six ustensiles.

Les ustensiles de service, vous les achetez un à un. Profitez d'anniversaires ou de Noël pour vous faire offrir la fourchette et la cuillère de service, les fourchettes à huîtres, ou les petites cuillères à demi-tasse.

Il y a également sur le marché des ustensiles à motifs plus colorés, plus amusants, que l'on voit très bien sur la table d'un célibataire ou que l'on réserve à la cuisine. Il y en a tant qu'on ne peut les décrire. Faites votre choix parmi les assortiments qui répondent le plus à vos goûts.

Le service de vaisselle

Vous avez un vaste choix de services de vaisselle. Vous achèterez le vôtre en fonction de la texture et des méthodes de fabrication. Porcelaine de Chine, porcelaine fine, poterie, terre cuite, plats allant au four, grès, etc., on n'a que l'embarras du choix.

Bien que la porcelaine ait vu le jour en Chine, au VIIIe siècle, ce n'est que sous la Dynastie Yuan (1280-1368), qu'on l'a réalisée sous la forme qui nous est familière. La porcelaine est faite d'argile et de pierre en fusion. En Chine, elle était faite à base de kaolin (argile chinoise) et d'une pierre feldspathique en fusion appelée *petuntse* qui signifie: pierre blanche.

Ce n'est qu'en 1516, lorsque les Portugais établirent des relations de commerce avec la Chine que cette porcelaine fut importée vers l'Ouest. Au Moyen-Orient on la connaissait déjà depuis le XIVe siècle. Vers 1750, un procédé pour copier la porcelaine de Chine fut mis au point en Angleterre. Cela donne une porcelaine mince, translucide, avec une épaisse glaçure.

Cette *porcelaine anglaise* diffère de celle de Chine seulement par son procédé de fabrication. Elle est mince, non poreuse, non absorbante, faite d'argile blanche dure et translucide, et cuite à une température extrêmement élevée. La porcelaine de Chine a toutes ces qualités, plus au moins 2% de poussière d'os, qui entre dans sa composition. Le choix est discutable et matière de goût. Il n'a rien à voir avec la qualité.

La porcelaine fine offre une très riche couleur blanc cassé, ou ivoire. Elle est non poreuse, résiste aux acides et est faite d'une argile raffinée. On trouve la plus belle porcelaine en Angleterre, en France, en Allemagne, au Danemark et en Irlande. Les noms les plus réputés à travers le monde en matière de porcelaine sont: *Sèvres, Limoges,*

Un milieu de table bon à croquer: Un milieu de table inusité et peu coûteux: tomates piquées dans des artichauts (à l'aide de bâtonnets de bambou ou de cure dents); le tout reposant sur une simple assiette, et maintenu grâce à un demi-oasis sec. Deux autres artichauts servent de chandeliers. La vaisselle, les napperons et les verres s'harmonisent.

Laissez entrer le soleil: Tout est question de couleur; les fleurs, le linge de table, la vaisselle se marient admirablement. Un milieu de table facile à réaliser: ouvrez une laitue boston et ornez-la de marguerites fraîches ou de fleurs de tissu.

Meissen, Spode, Minton, Wedgwood, Royal Worcester, Royal Doulton, Rosenthal et *Royal Copenhagen.*

On ne doit pas oublier dans cette classification des noms japonais tels que: *Kakiemon, Nakashima, Imari* et leur très bonne reproduction de la porcelaine bleue et blanche des *Ming.* Certaines de ces porcelaines rivalisent, en qualité, avec les créations antiques de l'Extrême-Orient.

La porcelaine de Chine: à l'origine, le mot porcelaine «de Chine» était donné à une porcelaine très fine, faite en Chine et exportée au Moyen-Orient au XIVe et XVe siècles.

La porcelaine semi-vitrifiée est à mi-chemin entre la porcelaine et la terre cuite. Sa durabilité est due à sa composition et au haut degré de température où on la cuit.

La poterie et la terre cuite proviennent d'une argile poreuse plus dure mêlée à d'autres ingrédients. Leur température de cuisson est relativement basse. La poterie s'écaille aisément même après avoir été recouverte d'une glaçure. La terre cuite faite d'une argile plus raffinée ne s'écaille pas aussi aisément.

La terre cuite de qualité est faite d'une argile spéciale, de porcelaine, de pierre, d'argile de porcelaine et de silex. Elle est cuite à une température plus élevée que la poterie ou la simple terre cuite. L'*ironstone*, par exemple, est une terre cuite très lourde et très durable. On la confond souvent avec la porcelaine semi-vitrifiée.

Autrefois, on avait un service de vaisselle pour les réceptions et un autre pour les besoins de tous les jours. Aujourd'hui, on se simplifie les choses. On associe avec bonheur des motifs et des genres différents. La jeune mariée qui commence son trousseau selon la bonne formule, peut ne plus avoir à s'en préoccuper pour longtemps. Il y a tant de choses auxquelles il faut penser la première année du mariage! Tant de choses dont on a besoin! Si le service de vaisselle choisi est pratique et esthétique, il durera long-temps et ce sera un souci de moins.

Je vous conseille de commencer votre service avec les cinq articles habituels, plus l'assiette à soupe. Apportez une attention toute spéciale au choix de vos tasses et de vos soucoupes. La tasse doit être en bon équilibre sur sa base, ne doit pas risquer de glisser hors de la soucoupe et l'anse doit pouvoir être tenue facilement par une main d'homme.

Le cinq-pièces usuel comprend:

L'assiette à viande
L'assiette à salade
L'assiette à pain et beurre
La tasse
La soucoupe
Le bol à soupe (facultatif)

Les plats allant au four sont extrêmement pratiques. Ils supportent la chaleur du four et permettent le service direc-tement du four à la table. Généralement ils sont très colo-rés, ont de jolis dessins et s'harmonisent très bien avec les autres plats du service. Chaque maison doit avoir quelques plats de service et une casserole. C'est aussi pratique pour les buffets et les réceptions au jardin que pour les repas de tous les jours. C'est le temps de vous rappeler qu'un réchaud est une pièce d'une grande utilité, tant pour vous faciliter la tâche lorsque vous recevez que lorsque vous décidez de prendre un repas sur la terrasse, loin de la cui-sine.

Le service de verres

Le verre, c'est «la fusion de plusieurs substances parmi lesquelles on retrouve toujours la silice et l'alcali.» (1) Gé-

---

(1) Savage, George, *Dictionary of Antiques.*

néralement, la silice provient du sable; l'alcali a deux sources possibles: la *cendre de bois* qui donne un verre à base de potasse, qu'on retrouvera surtout dans les régions intérieures; le *goémon carbonisé* qui donne un verre à base de soude, originaire des régions côtières, particulièrement de la Méditerranée.

Il arrive que pour des besoins scientifiques, le verre soit fait de silice seulement. George Ravencroft, un verrier anglais, a introduit pour la première fois du plomb dans la composition du verre, en 1676. Ainsi le verre ordinaire prend une apparence claire et brillante: c'est du cristal. Ce nom rappelle sa ressemblance avec le cristal de roche que des artisans, depuis des années, s'efforçaient de copier.

Le bon cristal est soufflé à la bouche, taillé et poli à la main. Il brille et scintille comme un diamant. Deux verres faits à la main ne peuvent être exactement semblables. Ils ont toujours une légère différence. Mais il ne faut pas qu'elle soit trop visible, cela gâche l'effet d'ensemble et ne peut être accepté.

Le verre pressé est, comme son nom l'indique, pressé dans un moule, selon un patron défini. Il peut être fait à la main ou à la machine. Tous les verres faits selon ce procédé sont rigoureusement identiques. Ils ne sont pas aussi étincelants que le cristal, à cause de leur manque de plomb, mais peuvent convenir fort bien dans un décor moderne. Le verre pressé dure plus longtemps et présente de très beaux motifs et d'attrayantes couleurs. Il est donc idéal pour recevoir à l'extérieur et pour vos repas quotidiens.

Les verres laiteux et noirs nous viennent, la plupart, de Suisse. Ils donnent de l'éclat à votre table, mais les connaisseurs de vin ne sauraient vraiment les apprécier parce qu'ils les empêchent d'admirer la couleur d'un bourgogne ou d'un chablis à travers leurs parois. D'un autre côté, lorsqu'on mêle verres colorés et coupes en étain ou en argent, cela permet des effets «du tonnerre» sur votre table. Ils deviennent de plus en plus à la mode, car ils permettent des agencements fort intéressants pour la table familiale. On gardera le cristal pour les grandes occasions.

Il fut un temps où l'on choisissait le même motif pour tout le service de verres: verres à eau, verres à vin rouge, verres à vin blanc, coupes de champagne ou flûtes, verres à sherry et liqueur. Même les verres à «old fashioned», les verres à brandy et les verres sans pied étaient choisis dans la même ligne. Cela pouvait devenir très coûteux ... et difficile s'ils n'étaient pas tous achetés en même temps.

Heureusement, les temps ont changé. On peut choisir un service de verres qui convient à ses goûts comme dégustateur de vin, ou comme harmonisateur inspiré d'une table.

Mais il ne faut pas perdre de vue que les verres doivent aussi s'harmoniser avec la porcelaine et l'argenterie. Celles-ci sont à plat sur la table, mais les verres sont en hauteur, ce qui leur donne une importance décorative plus grande, au premier coup d'oeil.

Les verres indispensables

Il est important que les verres soient beaux et d'excellente qualité, particulièrement en ce qui concerne les verres à vin rouge, à vin blanc et à champagne. Pour celui-ci, les flûtes deviennent de plus en plus populaires en Amérique du Nord.

Les verres à eau ne sont mis sur la table que pour les dîners très officiels. Seuls les restaurants et les hôtels offrant des banquets les disposent couramment sur la table. Vous pouvez avoir un plateau près de votre table où seront disposés vos verres à eau ou gobelets, ainsi qu'un pichet rempli d'eau glacée. Vous en servez sur demande. Il n'est pas nécessaire que ces gobelets soient du même motif que le reste de vos verres.

En plus des verres sur pied, je vous recommande des verres sans pied de douze onces, des verres «old fashioned» doubles de dix onces, des verres à sherry de cinq onces et des verres à brandy si vous recevez souvent à la maison. Si vous voulez être fière de vos réceptions, allez choisir parmi le large éventail de verres offerts à la consommatrice dans les magasins et prenez conseil d'experts. Les bonnes maisons ont des conseillers qui ne sont pas uniquement des vendeurs. Vous serez alors assurée que votre achat est dans les normes qui vous conviennent et qu'il ne se démodera pas à brève échéance. Des conseillères spécialisées peuvent se déplacer, aller chez vous et adapter votre service de verres à votre façon de recevoir. Ainsi vous ne vous retrouverez pas en possession de trente-deux verres à thé glacé, quand vous ne servez jamais de thé glacé! La jeune mariée, surtout, ne devrait jamais prendre ses premières décisions importantes sans consulter un professionnel.

Le linge de table

Depuis que les nappes et les serviettes de table sont devenues monnaie courante dans l'art de dresser la table, leur couleur et leur texture sont d'une grande importance pour l'harmonie générale. On ne peut pourtant pas ignorer qu'il y a un courant, actuellement, qui préconise l'absence totale de nappe lors d'un dîner. Si votre table est antique, les «designers» vous conseillent d'en montrer le grain. Si elle est résolument moderne, avec un dessus de verre et des pattes d'acier, d'argent, de bronze ou de marbre, encore là, on vous recommande de ne pas en voiler la beauté.

Si votre table en elle-même peut s'harmoniser joliment avec votre porcelaine, votre argenterie et votre cristal, même pour un dîner très officiel, je vous conseille de ne pas la recouvrir d'une nappe.

Il existe de petits sous-plats en verre qui s'adaptent

fidèlement à la grandeur de votre assiette. On ne peut pas les voir, mais ils protègent votre table contre la chaleur des plats. Ces sous-plats peuvent être faits aussi de feutre ou de feutre et caoutchouc.

Mais comme tout le monde a, bien sûr, des nappes dans sa lingerie, voici quelques conseils utiles.

Quelle nappe choisir?

Avant d'aller acheter une nappe, prenez la mesure exacte de votre table. Je vous conseille même d'apporter une petite soucoupe de votre service de porcelaine, pour être sûre que la couleur et le motif peuvent vraiment bien s'harmoniser avec la nappe. Parfois, la différence entre un blanc pur et un blanc cassé peut détruire tout à fait la beauté d'un ensemble.

Une nappe officielle doit avoir des pans de 18 à 24 pouces. Pour un dîner ordinaire, des pans de 12 à 16 pouces. Pour une table de banquet, les pans de la nappe peuvent avoir de 18 à 24 pouces, ou toucher la terre; mais s'il s'agit d'un buffet, ils doivent nécessairement tomber jusqu'à terre.

Une nappe ourlée à la main est plus élégante qu'une autre ourlée à la machine.

La texture

Pour un dîner officiel, le plastique, les fibres tissées à la main, la paille, sont inacceptables. La nappe damassée ou de toile fine peut convenir. Il n'est pas nécessaire qu'elle soit blanche ou blanc cassé cependant, mais les serviettes de table doivent être assorties. Toute nappe damassée est placée sur une sous-nappe de feutre ou de silicone qui est parfaitement adaptée à la dimension de la table. La nappe brodée de lin fin ajouré ou la nappe de dentelle lourde est directement placée sur la table.

Pour un dîner moins conventionnel servi avec de la vaisselle de terre cuite, poterie ou verre coloré, les autres textures conviennent parfaitement.

Quand vous étendez une nappe, assurez-vous qu'il n'y a qu'un seul pli de visible: celui du milieu de la nappe.

Il y a un vaste choix de sous-plats, de napperons et de serviettes de table dans les magasins. La seule règle, c'est de les choisir en parfaite harmonie avec votre vaisselle et votre décor.

Les serviettes de table

Les serviettes de table sont offertes en plusieurs formats. Pour choisir sans erreur, voici un tableau guide (2):

Dîner	:	20, 22 ou 24 pouces carrés
Lunch ou déjeuner	:	17 ou 18 pouces carrés
Thé	:	12 pouces carrés
Cocktail	:	4 x 6 ou 6 x 8 pouces
Buffet et dîner au homard ou aux huîtres	:	12 x 18 pouces

Les serviettes à motifs très modernes peuvent avoir une légère différence de dimension.

Les serviettes de papier ne conviennent pas à un grand dîner. Beaucoup les utilisent à la table familiale. Cependant, cela ne veut pas dire qu'elles n'ont pas leur place lorsque vous recevez. Si, par exemple, votre serviette, après avoir été utilisée avec le rince-doigts, n'est plus présentable, il est permis à ce moment-là surtout si vous vous apprêtez à servir du champagne accompagné de petits fours, de présenter de très jolies serviettes de papier de soie ou de papier aux multiples couleurs.

Les serviettes de papier, autrement, sont réservées au B.B.Q., aux buffets extérieurs ou au service des fruits. Elles sont parfaites pour les fêtes d'enfants ou d'adolescents,

(2) 1 pouce = 2.54 cm
    1 pouce carré = 6.451 cm²

Une façon de plier la serviette de table: la fameuse fleur de lys

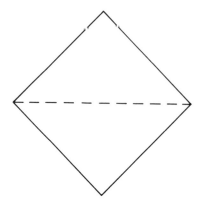

pliez selon la ligne pointillée.

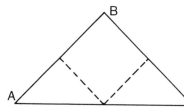

repliez chacune des pointes de la base du triangle, de façon que chacun des angles A touche le sommet B.

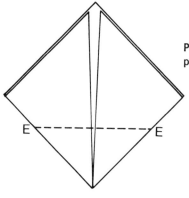

Pliez vers le haut en suivant la ligne pointillée EE.

Pliez vers le bas en suivant la ligne pointillée FF.

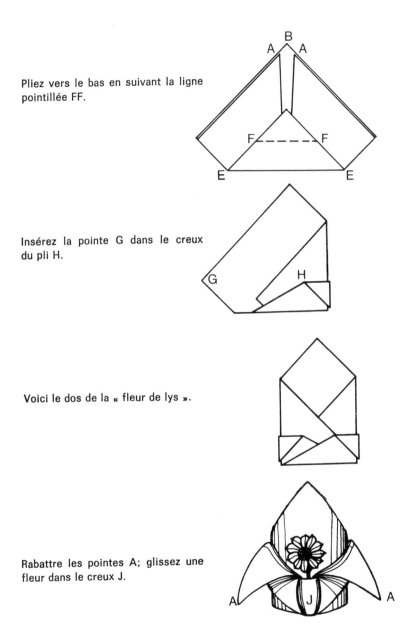

Insérez la pointe G dans le creux du pli H.

Voici le dos de la « fleur de lys ».

Rabattre les pointes A; glissez une fleur dans le creux J.

quand tout le monde mange avec ses doigts. Elles sont idéales pour les pique-niques.

Il fut un temps où les anneaux de serviette étaient de rigueur à la table familiale. Ils étaient d'or, d'argent ou d'argent plaqué et étaient considérés comme le cadeau idéal pour la future mariée. Ils étaient souvent offerts, aussi, à la naissance d'un bébé, avec la petite cuillère gravée. Puis, plus personne ne les a utilisés. Cependant, depuis quelque temps, il semble que ce petit article soit de nouveau en vogue. On en trouve en grand nombre aujourd'hui, en verre, en bois, en plastique et en d'autres matériaux modernes, en plus de l'or et de l'argent.

Cet anneau à serviette n'a rien de pratique, c'est uniquement une jolie décoration. Une serviette de table devrait n'être utilisée qu'une seule fois, ou un seul jour. Si on veut la réutiliser, elle devrait être conservée dans une enveloppe de plastique ou de tissu.

Chapitre X
Décorer la table

Milieux de table

Il faut choisir soigneusement les contenants pour vos milieux de table, car ils vous serviront souvent. Si vous n'aimez pas vos vases, vous ne serez jamais satisfaite de vos arrangements. Choisissez-les en harmonie de style, de couleur, de texture et de forme avec votre porcelaine, votre cristal, votre table, vos nappes. Si vous donnez souvent des dîners sans formalité, vous achèterez des vases en conséquence. Si vous optez plutôt pour les buffets, alors vous pourrez arrêter votre choix sur un panier de légumes, des bols de bois, ou des vases en hauteur. Si vous donnez souvent des dîners officiels, choisissez deux ou trois vases de formes et de matériaux différents pour les arrangements de fleurs élaborés et bas, ou pour des milieux de table faits de fruits.

Naturellement, un dîner très chic requiert aussi un milieu de table très chic et parfaitement réussi.

Il n'est pas nécessaire d'avoir recours aux services d'un professionnel pour le réaliser, si vous avez déjà une certaine expérience à la table familiale. Choisissez des fleurs dont la couleur s'harmonisera avec votre vaisselle et votre nappe; leur forme doit convenir à celle du contenant. Ayez assez de verdure pour couvrir les imperfections de l'arrangement, il s'en glisse toujours ...

Figurine et fleurs. Milieu de table: fleurs de tissu, herbes séchées et figurine, dans une même harmonie de couleurs. Serviettes de table décorées des herbes du bouquet principal. Verres colorés.

Employez des fleurs très épanouies et des boutons de même espèce, ensemble. Des roses très ouvertes et coupées très court pour être placées au niveau des yeux des invités, donnent un effet ravissant.

Des figurines mêlées à la verdure et aux fleurs peuvent surprendre et amuser.

Il est important de savoir comment faire tenir les fleurs en place dans un arrangement. Je vous suggère l'emploi de l'oasis (florimousse). On le met à l'intérieur du contenant,

Fleurs et fruits. Dans un décor canadien, fleuri d'un immense bouquet, la table est mise pour quatre personnes. Napperons de paille tressée; serviettes de toile; milieu de table fait de fleurs et de fruits entremêlés.

après l'avoir laissé s'imbiber d'eau et en avoir épongé l'excès. Si vous utilisez un pique-fleur, employez de la cire ou du ruban adhésif à la base pour le rendre plus solide. Vous aurez besoin de fil de laiton très mince, pour maintenir ensemble certains groupes de fleurs, de branches ou de verdure.

Du ruban adhésif de fleuriste est indispensable. Des bâtonnets de bambou de différentes longueurs (ou des curedents) peuvent également être très utiles pour soutenir certaines fleurs. Ils font merveille dans un arrangement de fruits et de légumes. Ayez aussi un couteau bien aiguisé, une paire de lourds ciseaux et une paire de pinces coupantes.

Pour les arrangements de légumes, vous avez besoin de larges feuillages. Pour les fruits et les fleurs, d'un feuillage plus délicat. La qualité de verdure utilisée pour un arrangement dépend des fruits qu'elle complète.

On doit veiller à faire ses milieux de table très bas, de manière à ce qu'ils n'entravent pas la conversation entre les vis-à-vis. Pour un buffet, c'est différent. Ils peuvent être hauts et larges.

Il y a tant de matériaux, de formes, de textures, de couleurs à notre disposition que si l'on fait preuve d'un peu d'imagination, on peut faire des arrangements de table différents pour chaque occasion.

Les chandeliers

Achetez trois paires de chandeliers de différentes hauteurs, mais de même motif. Pour un dîner intime, ils sont presque indispensables.

Les chandeliers très hauts et les candélabres doivent être placés sur la table de manière à ce qu'ils n'entravent pas la vue des convives. Les chandeliers d'argent peuvent

La table automnale. Une idée pour la saison de la chasse. Des oiseaux partout où le regard se pose. Les couleurs: vert avocat, brun, orange et jaune. Poterie, acier inoxidable, gobelets d'étain. Serviettes de coton et napperons de paille tressée.

143

Gros plan de la photo précédente.

Sur une nappe à carreaux, un milieu de table original fait de feuilles d'automne, épis de blé et maïs séché. Vaisselle de terre cuite. Les serviettes de table sont pliées en fleur de lys.

être décorés avec des fleurs, grâce à des supports de verre adaptables.

Des thèmes pour vos réceptions

Même si vous receviez 365 jours par année, vous pourriez trouver un thème différent pour chaque journée. Faites travailler votre imagination. Le genre de cuisine que vous allez servir détermine généralement le thème de la soirée. Ce que vous avez rapporté de vos voyages, des souvenirs, une collection, tout cela peut servir au milieu de table, pour souligner le thème du jour.

Un dîner avant le spectacle? Présentez un arrangement floral en forme d'instrument de musique ou encore une figurine ou une mini-reproduction appropriée. Cela vaut également pour un souper tardif au champagne, après le concert ou l'opéra.

Utilisez des couleurs automnales pour un riche dîner arrosé de bière, après une partie de hockey ou de football.

Ces couleurs conviennent parfaitement à un dîner de chasse ou même à un dîner léger avec des amis après une après-midi de randonnée en forêt. C'est là que vous aurez ramassé les feuilles aux couleurs chaudes et ramené chez vous toute la beauté de la campagne environnante.

C'est Noël? tout est traditionnellement rouge et vert.

L'Halloween? la citrouille inévitable.

La St-Patrice? le trèfle est immuable.

Pour la fête de l'Action de Grâce, pensez aux légumes et aux épis de blé. Puis il y a des dîners chinois. Les smorgasbords suédois, les fiestas mexicaines et tant et tant de possibilités qui restent à explorer!

Empruntez à la collection de vos enfants ses coquillages, anémones de mer, roches, morceaux de bois séché, minéraux, etc. et composez un arrangement inusité mettant la mer en vedette . . . pour vos repas de fruits de mer. Même du sable blanc peut être utilisé, avec de grosses chandelles,

146

Fête d'enfants. Une table très colorée. Quelques jouets, des chapeaux, des bonbons, tout ce qu'il faut pour plaire aux tout-petits.

Le lunch au bureau. Un joli plateau bien présenté rend agréable et reposant même un repas-éclair. Le rouge domine; une simple fleur fraîche illumine l'ensemble.

de la porcelaine et des citrons entiers . . . Particulièrement au chalet, près de la plage.

Encouragez vos enfants à collectionner des objets aux formes inhabituelles, spécialement ceux qui ont été rejetés par la mer. Un enfant doit être encouragé à l'exploration. Cela éveille son esprit, fait travailler son intelligence. Il vous prêtera ses trésors pour vos soirées spéciales. Invitez-le à vous aider dans l'aménagement de votre table. Ce sera peut-être sa première leçon d'art de la table . . . qu'il apprendra en s'amusant. C'est la meilleure méthode pour inculquer de nouvelles notions aux enfants.

Je me suis souvent demandé qui m'avait donné le désir de ma profession. Je crois bien que ce sont mes parents. Nous vivions près de la mer Baltique, et j'avais pris l'habitude de collectionner toutes sortes de choses sur la plage. Je trouvais même des morceaux d'ambre dans le sable. J'en avais ramassé plusieurs et je me souviens combien j'étais fière lorsque ma mère, un jour, me demanda de les lui prêter pour décorer la table d'un dîner très spécial qu'elle allait donner. Elle m'a offert de l'aider dans la décoration et l'arrangement de cette table et j'eus la permission de rester quelques instants avec les invités, ce soir-là. Un enfant élevé dans le goût de la beauté ne l'oublie jamais.

Une fois votre thème choisi, perfectionnez tout ce qui s'y rattache: menu, boissons, décoration de table, accessoires, décoration de la pièce, surprises spéciales, musique, etc. Tout doit être choisi en fonction de l'atmosphère de la soirée.

Le smorgasbord

Que ce soit pour le lunch ou le souper, le buffet suédois « smorgasbord » est une façon imaginative et parfaite de recevoir un large groupe d'invités, sans beaucoup d'aide.

Composez un milieu de table qui rappelle la mer . . . ou

Dîner de fruits de mer. Milieu de table: composition de coquillages, coraux et pierres. Des algues blanches séchées et quelques fleurs rose pâle. Le blanc et le noir dominent. La même décoration ferait grand effet sur une table de chrome et verre, sans nappe. Il est bon de se rappeler que des fleurs à parfum entêtant ne conviennent pas à un repas de poisson.

un bateau de Viking. Suspendez des affiches touristiques de la Suède sur vos murs. Remplissez quelques verres suédois de fleurs, de billes, de vitres ou de pierres venant de la mer (agates). Allez à une boutique scandinave pour recueillir d'autres idées.

Le smorgasbord traditionnel comprend: des hors-d'oeuvre chauds et froids, des viandes froides et chaudes, du poisson fumé et mariné (plusieurs variétés), des saucisses, de la salade, des fromages, des petits pains et du pain maison (pain de ménage). Au dessert: différentes pâtisseries.

Installez vos invités à plusieurs petites tables. Servez de l'aquavit glacé, de la bière ou du vin. Un bon smorgasbord est la meilleure façon de présenter des mets suédois.

Le repas oriental

Voilà un sujet qui suscite beaucoup d'intérêt de nos jours. On peut acheter un tas de choses, à bas prix, importées de Hong Kong ou du Japon. Des choses très colorées, amusantes qui vont de la porcelaine à la terre cuite, en passant par le bambou, le rotin et le papier de soie.

Utilisez des lanternes chinoises, des bols à riz, des baguettes, des serviettes de papier de soie, des parasols, des napperons de rotin, de bambou ou de paille, des fleurs et des vases. L'arrangement de fleurs japonais ne nécessite que quelques fleurs, quelques branches et un peu de feuillage.

Une petite figurine orientale peut également être disposée sur la table. Un thème oriental demande la décoration de toute la pièce, même de tout l'appartement ou du jardin. Ne vous limitez pas à organiser seulement l'aire de la salle à manger, comme vous le feriez pour un autre thème. Il n'est pas non plus difficile de manger avec des baguettes mais au cas où l'un de vos invités serait moins doué, prévoyez des fourchettes ... juste en cas.

La fête sur la plage

Vous l'offrez à votre maison de vacances ou à l'extérieur, sur le patio, ou si vous avez cette chance, à votre plage privée. Vous prévoyez quelques filets de pêcheurs et des lampes-tempête pour la décoration. Mettez tout votre monde à l'oeuvre. Les hommes peuvent ouvrir les palourdes, les enfants gratter les carottes, nettoyer les radis, les échalotes et couper les céleris. Les femmes peuvent donner un coup de main pour la salade de fruits, enlever les pépins du melon d'eau, etc. L'hôtesse prépare les palourdes à la vapeur, le plateau de fromages et la quiche lorraine ou la quiche aux épinards.

Vous servez les palourdes à la vapeur avec un gros morceau de beurre, un peu d'ail. Vous saupoudrez d'origan et accompagnez de petits pois. Offrez un grand plateau de concombres tranchés et un autre de tomates tranchées. Et n'oubliez pas la fraîche baguette de pain français.

Si vous ne pouvez avoir de palourdes, employez un autre fruit de mer. Le principe est le même.

La fondue

Inviter des amis pour une fondue c'est beaucoup de plaisir en perspective. Cela se fait toujours sans formalité et chacun devient son propre chef.

Vous dressez de petites tables à cartes avec de jolies nappes colorées et des serviettes de table de couleur à assortir. Une casserole à fondue sert quatre personnes. Il est donc nécessaire d'en avoir plusieurs avec leur brûleur, si vous invitez plusieurs personnes. Chaque invité a, bien entendu, sa propre fourchette.

Comme les invités sont assis autour de la table, c'est la casserole à fondue qui fait office de milieu de table. Employez de la vaisselle ordinaire et de lourds verres à vin.

Servir une fondue requiert une certaine préparation. Si vous êtes célibataire et prévoyez inviter beaucoup de monde, demandez à une amie de vous donner un coup de main dans les préparatifs. Après la fondue au fromage, qui est très nourrissante, ne servez qu'une salade légère et un dessert aussi léger.

Une fondue au boeuf est plus élaborée. Mais d'un autre côté, c'est plus facile pour une hôtesse. Les sauces pour la trempette peuvent être préparées à l'avance. Prévoyez un bon nombre de cubes de viande pour chaque invité. Servez du pain français, de la salade et un dessert. Un bon vin rouge remplit ici très bien son rôle.

Dans la province, la fondue accompagnée de bière gagne de plus en plus en popularité. Le procédé est le même, excepté qu'au lieu de servir du vin, vous offrez à vos invités de la bière . . . ce qui est peut-être plus approprié pour les chaudes soirées d'été.

Chapitre XI
L'étiquette au restaurant

Qui que nous soyons, homme ou femme, marié ou céli-bataire, femme de carrière ou nouvelle mariée, nous devons savoir comment nous comporter en public. Cependant, beau-coup de gens semblent embarrassés et ne savent quelle attitude adopter dans un restaurant. Ce livre ne serait pas une étude complète sur l'art de la table si nous n'abordions pas ce sujet, étant donné que vous serez tous invités à un moment ou à un autre au restaurant et qu'il vous arrivera peut-être, un jour, de devoir lancer une invitation de ce genre.

Il y a deux sortes d'invitations, qu'elles soient au restau-rant ou à l'hôtel. L'une est une invitation privée à dîner avec deux ou trois autres personnes, ou en tête-à-tête. L'autre, une invitation à un banquet dans une grande salle de récep-tion où un grand nombre de personnes sont invitées.

Si vous êtes l'hôte ou l'hôtesse, arrivez à l'heure à votre rendez-vous. Comme invité, vous ne pouvez vous permettre plus de dix minutes de retard.

En tant qu'hôte, dans un restaurant, il est préférable de réserver votre table à l'avance. Mais ne vous y rendez pas avant l'arrivée de vos premiers invités. Attendez-les à la porte. Ceux qui arrivent les premiers, ou les invités d'honneur, sont alors escortés à votre table. Vous laissez

155

un mot au maître d'hôtel afin qu'il dirige vos autres invités à votre table, s'il y a lieu, au fur et à mesure qu'ils arrivent. Les hommes vont au vestiaire remettre leur manteau et leur chapeau. Les femmes peuvent garder leur manteau mais déposent leur imperméable, s'il y a lieu, et leur parapluie.

L'homme habituellement, précède sa compagne au restaurant. Si le maître d'hôtel les conduit à leur table, il va laisser sa compagne suivre le maître d'hôtel et il fermera la marche. Mais s'il n'y a personne pour leur montrer le chemin, et qu'il ait à chercher lui-même une table, alors il précède la femme.

Si, monsieur, vous n'invitez qu'une compagne, demandez-lui si la table choisie lui plaît. Donnez-lui le meilleur siège, la meilleure vue. S'il y a plus d'une femme dans un groupe, on leur donne les meilleures places et leurs compagnons s'asseoient devant elles. S'il n'y a pas de maître d'hôtel, l'homme aidera la femme à enlever son manteau, autrement c'est le maître d'hôtel ou le garçon de table qui remplit cette fonction. Si deux femmes dînent ensemble, la plus âgée aura le meilleur siège. Si une femme dîne en compagnie de deux hommes, elle s'asseoira entre eux deux.

Si vous êtes une femme célibataire et que vous recevez au restaurant pour le lunch ou le dîner, vous pouvez commander à l'avance, si vous connaissez bien les goûts de vos invités, mais vous vous assurez tout au moins que l'on ne vous présente pas l'addition à table, à la fin du repas. Vous laissez votre carte de crédit à l'entrée, au maître d'hôtel ou au patron, si l'on vous connaît bien ou alors, à la fin du repas, vous vous absentez pour quelques instants et vous payez discrètement. Vous arrivez un peu à l'avance pour régler cette petite mise en scène.

Au restaurant, l'hôte et l'hôtesse sont aussi attentifs à leurs invités qu'ils le seraient s'ils recevaient dans leur propre maison. Ils n'accepteront pas un mauvais service, ni un mets mal préparé. Mais la requête doit être faite calmement, sans esclandre ni excitation. Une atmosphère de luxe ne doit pas intimider. L'hôte doit connaître le montant de l'addition de façon à ne pas être « assommé » au moment de la régler. Regardez rapidement cette addition. Ne la scrutez pas dans ses moindres détails. Si elle vous semble erronnée, demandez à voir le maître d'hôtel et faites-lui discrètement constater l'erreur ... sans fanfare. Si tout est en règle, payez en plaçant votre argent sur le plateau à cet effet, *sous l'addition.* Incluez le pourboire en réglant. Si vous payez par carte de crédit, déposez simplement cette carte sur l'addition et signez le feuillet à remplir en ajoutant 12% ou 15% de pourboire. N'oubliez pas de reprendre votre carte de crédit. L'hôte salue le maître d'hôtel quand il quitte le restaurant.

Lorsqu'un homme invite une femme à dîner, il la consulte d'abord sur son choix, puis il passe la commande, pour lui et elle, au garçon de table. Ne choisissez pas le mets le plus coûteux. Il est sage de se limiter au menu de la table d'hôte, où sont inclus hors-d'oeuvre, dessert et café. Ne vous restreignez pas non plus à ce qu'il y a de moins coûteux sur ce menu. L'homme pourrait avoir l'impression que vous croyez qu'il ne peut pas vraiment vous offrir ce dîner.

L'homme, de toute façon, fera des suggestions pour les mets et les boissons. S'il vous suggère un vin, acceptez d'emblée. En général, ce n'est pas à la femme à suggérer de terminer la soirée dans un bar, un discothèque ou une salle de danse. L'homme, s'il se plaît en sa compagnie, le fera sûrement, à moins qu'il n'ait de graves raisons pour rentrer tôt.

Si un(e) employé(e) est invité(e) par son supérieur, ou patron, il (elle) doit attendre les suggestions de celui-ci, avant de prendre l'initiative de commander.

Dans les meilleurs restaurants, il y a toujours un menu sans prix inscrit pour les dames. Si tel est le cas, l'invitée attendra toujours les suggestions de son hôte, avant de faire son choix. Il n'est pas nécessaire qu'elle commande la même chose que lui, mais ses suggestions lui feront clairement entendre le genre de repas qu'il est préparé à lui offrir. Elle peut alors faire gracieusement son choix à l'intérieur de ces limites.

Le choix des vins doit, en principe, être fait par l'homme. Si vous êtes l'hôtesse célibataire, l'étiquette veut que vous demandiez à un des hommes de votre table de choisir le vin. Ceci n'implique pas nécessairement qu'il possède une grande connaissance des vins. Il peut, si tel est le cas, demander l'avis du maître d'hôtel ou du sommelier.

Si vous ne désirez pas de vin, ne tournez pas votre verre à l'envers pour le signifier. N'en laissez verser qu'un tout petit peu, portez un toast avec les autres invités et laissez votre verre intouché. Il est incorrect de poser sa main sur son verre, pour indiquer qu'on ne veut pas de vin.

Les buffets gagnent en popularité dans les hôtels et les restaurants. De petites tables sont mises à la disposition des convives. Dans ces conditions, l'homme demande à sa compagne si elle veut l'accompagner au buffet, pour choisir elle-même ce qu'elle désire. Vous approchez du buffet par la droite, commençant par le poisson, s'il y en a. Celui-ci est alors servi dans sa propre assiette. Vous pouvez y ajouter un peu de salade et des hors-d'oeuvre froids. A table, vous utilisez le couteau et la fourchette à poisson pour manger ce premier plat. Puis vous retournez au buffet pour le plat principal. Une nouvelle assiette vous est alors fournie. Vous retournez pour les fromages, puis pour les fruits et le dessert. Le vin est servi par le garçon de table.

Que ce soit pour un dîner ou un buffet au restaurant, les invités doivent se retirer après un délai raisonnable. Si c'est l'heure de fermeture, empressez-vous de faire de même. Si vous avez pris le dîner à l'hôtel, il serait mieux de prendre le café et le cognac au bar de cet hôtel ... ou sur la terrasse, si c'est un hôtel en dehors de la ville et que le temps le permet.

Vous pouvez également quitter ce restaurant et aller prendre ce café et ce cognac dans un autre, ouvert plus tard.

L'invitation à un banquet n'inclut pas nécessairement une invitation à la réception qui l'a précédé. Si l'on vous attend à cette première réception, cela sera clairement mentionné sur votre carte d'invitation, à moins qu'on ne vous le mentionne de vive voix. En général, on convie à cette réception précédant un dîner officiel, les invités d'honneur et quelques personnages importants. A l'entrée, vous trouverez la ligne de réception; vous devez obligatoirement serrer la main de toutes les personnes qui la composent.

Les dames de la ligne de réception gardent leurs gants. La nouvelle étiquette permet aux autres dames de laisser leurs gants au vestiaire. Si vous choisissez de les garder, sachez qu'on doit obligatoirement retirer le gant droit pour manger, boire ou fumer. Avant de s'asseoir à table pour le dîner, cependant, toutes les dames retirent leurs deux gants. On peut porter un bracelet sur son gant, mais jamais de bagues.

A un dîner officiel, tous les invités demeurent debout derrière leurs sièges jusqu'à ce que celui qui préside se soit assis. Dans ce genre de dîner, être invité à s'asseoir à la table d'honneur signifie que les hommes doivent porter la cravate blanche et l'habit de cérémonie, sauf si l'invitation spécifie: cravate noire. Cependant, aujourd'hui, la plupart des dîners, même les plus officiels, admettent que l'invité soit tout simplement habillé de foncé.

De même, les femmes qui, à une certaine époque, devaient obligatoirement revêtir une robe longue pour les cérémonies officielles, ne sont maintenant tenues de le faire que si une altesse royale ou une personne d'un très haut rang social, préside l'assemblée. (Dans ce cas, les pantalons ne sont jamais admis.) Maintenant, elles peuvent se permettre, si elles le préfèrent, de ne porter que la courte robe «petit soir», un costume pantalon très habillé, ou encore un somptueux caftan.

Même dans notre société libérée, où la femme joue un rôle prédominant, le bar demeure un lieu problème pour la femme qui veut s'y aventurer seule. Dans certains Etats des Etats-Unis, il n'est pas permis à une femme de s'asseoir au bar. On lui demande de s'asseoir dans le «cocktail lounge». Elle doit clairement démontrer qu'elle règle elle-même sa note pour qu'on accepte sa présence. Il vaut sûrement mieux éviter de se mettre dans ces situations embarrassantes.

Une femme seule est généralement refusée à l'entrée des boîtes de nuit. Si, au cours d'un voyage, vous logez dans un hôtel qui présente un spectacle intéressant, auquel vous voudriez assister, même sans escorte, vous pouvez toujours recourir au directeur de votre hôtel qui prendra pour vous les dispositions nécessaires.

Le petit déjeuner au lit: Une harmonie de fleurs pour bien commencer une journée de congé.

Voici un milieu de table très original pour les Fêtes de Pâques.

Chapitre XII
L'aide-mémoire
de dernière minute

On a tout dit à propos de l'importance de la première impression, celle que vous recevez en rencontrant quelqu'un pour la première fois, en voyant pour la première fois une ville, une voiture, une robe, votre chambre d'hôtel; et bien sûr, celle que vos invités reçoivent, la première fois qu'ils entrent chez vous.

L'accueil doit être chaleureux. Montrez-leur qu'ils sont les bienvenus. La décoration, la cuisine recherchée, une attention inattendue, une pensée délicate valent mille mots et rendront vos dîners et vos réceptions mémorables.

Quelques suggestions inusitées pour
étonner et charmer

Un panier de fleurs suspendu à votre porte, à l'intérieur en hiver, à l'extérieur l'été.

Dans le hall, un grand pot de fleurs déposé sur le sol ou un large vase rempli de fleurs et de verdure sur une petite table. Les fleurs fraîches peuvent être remplacées par des plantes en pot, des géraniums par exemple.

Un petit bouquet des fleurs qui composent votre milieu de table, une simple rose ou un oeillet avec un peu de verdure, attaché par un ruban à votre porte ou au heurtoir.

Un pot de fleurs à toutes les deux marches de l'escalier qui mène à la salle de bain, si vous habitez une maison à étages.

Un bouquet de corsage et une fleur à boutonnière assortis pour chaque couple.

Des chandelles allumées partout.

Des lampes-tempête dans des massifs de fleurs, ou suspendues aux arbres du jardin, en été. Des projecteurs placés aux points stratégiques.

Une rose unique à chaque serviette de table.

Une fleur, assortie à la décoration, attachée à la petite carte qui marque la place de chacun à table.

Un très beau ruban, attaché à la carte ou à la serviette de chacun.

Une mini-plante en pot, avec le nom de l'invité inscrit sur un petit écriteau planté dans la terre, à chaque place à table.

Décorations de table originales

Trois vases de cristal, groupés, mais de hauteur différente et remplis de trois différentes sortes de fleurs.

Garnissez un mini-aquarium carré ou rectangulaire de tulipes ou de jonquilles en boutons.

Prenez des chandeliers de différentes hauteurs et placez-les sur la table, groupés.

Organisez un mini-jardin de plantes en pot au milieu de la table.

Un mini-jardin d'herbes et de plantes dans un vase rectangulaire.

Mélangez fleurs cultivées et fleurs sauvages en été.

Enjolivez un milieu de table fait de légumes avec de la verdure.

Mélangez toujours fleurs et fruits, si possible.

Employez des feuilles d'automne; fixez-les sur un sous-plat ou une pièce de feutre.

Déposez de mini-sculptures ou des figurines dans de la verdure.

Employez votre soupière d'argent pour un superbe arrangement de fleurs et de fruits.

Décorez le milieu de table de jolis coquillages et d'agates. Ajoutez même du sable — spécialement pour les dîners de fruits de mer.

Remplissez un bol de verre, de billes de couleurs.

Faites une pyramide de citrons et de persil et placez des quartiers de citrons autour, de façon à ce que ceux qui le désirent puissent s'en servir.

Si vous placez vos fleurs dans un vase de cristal, maintenez-les en place avec des billes ou des pierres blanches.

Utilisez le compotier comme vase à fleurs. Placez une chandelle au milieu.

Placez vos serviettes de table, style boutique, c'est-à-dire pliées de façon à imiter une fleur.

Des attentions inattendues

Vous transformerez votre salle de bain en salle d'habillage. Vos invitées y trouveront des choses qu'elles ne s'attendent pas à y voir, mais dont elles peuvent avoir besoin: une paire de bas-culottes à pointure unique; le dépannage intimité; des aiguilles et du fil; des épingles de sûreté (une mini-trousse de voyage, placée dans un coin, fera très bien l'affaire) et bien sûr, des serviettes, du savon parfumé, du rince-bouche, des menthes, une brosse, un peigne, une lime à ongles; de la pâte dentifrice et des brosses à dents à jeter après usage, comme on en trouve dans les w.c. de première classe à bord des avions; des verres, etc ...

Rappelez-vous: planifiez votre menu longtemps à l'avance.

Offrez des mets exotiques, si vos invités les apprécient. Mais, si vous êtes une cuisinière inexpérimentée, offrez quelque chose de simple, mais joliment décoré et servi d'une façon experte.

Souriez et vos invités se rappelleront vos soirées.

Chapitre XIII
Des menus, des recettes

Un dîner à deux intime

MENU

Un demi-avocat farci avec de la crème sure et du caviar
ou avec de la crème sure et du poivron (vert ou rouge)
ou avec de la salade de poulet
le tout servi sur une feuille de laitue,
avec bouquet de persil et tranches de tomates

Bifteck

Brocoli
ou
Champignons et cresson frits au beurre

Dîner pour deux. Table de cuir et verre, sans nappe. Une rose unique à chaque couvert. Deux chandelles qui ne nuisent pas à la conversation mais la réchauffent. Bibelots d'argent.

Pommes de terre au beurre et persil

Salade verte
   et
Fromages assortis

Crème glacée au rhum et raisins
Sauce chocolat chaude

Demi-tasse

Cognac

Chambertin (bougogne rouge)

166

Dîner pour deux. L'étroitesse de la table permet ici l'originalité du non vis-à-vis. Cendrier en guise de vase à fleurs. Le verre domine, en contraste avec la table très sombre.

RECETTE

CHAMPIGNONS ET CRESSON FRITS AU BEURRE

Couper les champignons en tranches.

Frire rapidement dans le beurre. Saler et poivrer.

Garder les champignons croquants.

Ajouter le cresson, réchauffer au beurre avec les champignons et servir immédiatement.

COULEURS

Table: noir, blanc, rouge
Menu: blanc, rouge, vert
Fleurs: blanc, rouge, vert (roses bébés rouges, marguerites
        blanches)
Vin: rouge
Il suffit également de placer une belle rose rouge avec un
joli ruban à chaque couvert.

Une invitation amicale pour quatre . . .

au caviar, vodka et champagne

MENU

Salade suédoise aux crevettes

Caviar canadien (noir, frais, très peu salé)

Pommes de terre en robe des champs aux graines de carvi
Crème sure
Persil et échalotes hachées

Fromages assortis

Poires Margarita (à la crème fouettée)

Demi-tasse

Cognac

Vodka
Champagne ou vin mousseux

RECETTES

SALADE SUÉDOISE AUX CREVETTES

Oeufs durs, laitue, chou-fleur, tomates, céleri, champignons, concombre, crevettes pour garnir. Seulement les oeufs et les crevettes sont cuits.

Vinaigrette française
   ou
Sauce à salade Crosse & Blackwell, mélangée avec de la crème à 35%, du vinaigre de vin et du persil haché, au goût.

POMMES DE TERRE

Faire cuire les pommes de terre à l'eau bouillante salée avec les graines de carvi, 2 c. à table (30g) pour 4 pommes de terre. Enlevez l'eau, laissez les grains. Servez chaud dans une serviette blanche bien fermée dans un bol avec couvercle.

POIRES MARGARITA (pour 4)

2 tasses (½ litre) de vin rouge
2 tasses (227 g) de sucre
Mélanger et faire cuire 5 minutes.

4 poires entières, pelées, avec tige
Faites bouillir lentement dans le sirop de vin et le sucre jusqu'à ce qu'elles soient tendres (15-20 minutes).

La pelure d'un citron
½ tasse (12 cc) de porto
1 morceau de canelle

Mélangez avec le sirop et laissez cuire pendant 3 à 5 minutes. Ce dessert se mange froid ou chaud, avec ou sans crème fouettée.

COULEURS

Table: coquillages (pierres, agates, étoiles de mer)
Menu: noir, blanc, vert, avec une petite touche de rose pâle
Vin: blanc

Un dîner semi-officiel pour six

(L'hôtesse peut servir ce menu seule sans sortir de la salle à manger pendant le repas.)

MENU

Endives dans un verre avec une sauce maison,
ou
Salade niçoise
ou
Une demi-poire farcie avec les pommes grenades au kirsch

Gigôt d'agneau rôti
Sauce à la menthe

Flageolets à l'ail

Pommes de terre grillées aux oignons

Fromage et fruits (les fruits forment le milieu de table)

Dessert

Demi-tasse

Cognac — cordial — liqueur

Cheval Noir Saint-Emilion (bordeaux rouge)

RECETTE

ENDIVES — SAUCE MAISON

2 jaunes d'oeufs
1 c. à thé (5 g) de moutarde française

Des endives comme entrée. Une invitation pour six. Table très gaie, aux couleurs de l'automne. Grenadines, feuilles et raisins. Toile et paille pour le linge de table.

¼ tasse (6 cc) d'huile
1 c. à table (1.5 cc) de vinaigre de vin
Echalotes hachées
Persil haché
Poivre — sel
3 à 5 gouttes d'eau froide si nécessaire

N.B.   Préparer comme une mayonnaise; si la sauce se sépare, mettre 3 à 5 gouttes d'eau froide au besoin.

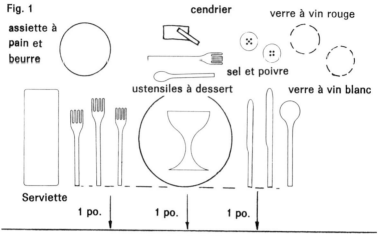

Fig. 1

assiette à pain et beurre

cendrier

verre à vin rouge

sel et poivre

ustensiles à dessert

verre à vin blanc

Serviette

1 po.   1 po.   1 po.

bord de la table

Le dîner sans cérémonie

Le premier service, ici un cocktail de crevettes, est déjà en place lorsque les invités s'attablent. La fourchette à fruits de mer est placée ici à gauche de l'assiette.

Fig. 2

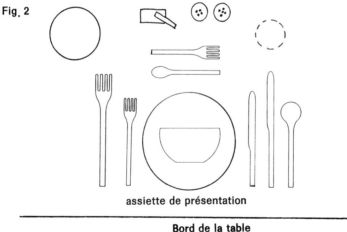

assiette de présentation

Bord de la table

Le second service: le potage.

Le troisième service: le plat de résistance.

Le quatrième service (facultatif): salade et fromages.

Fig. 3

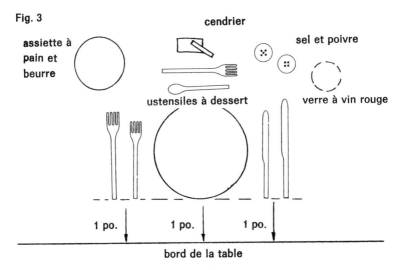

assiette à
pain et
beurre

cendrier

sel et poivre

ustensiles à dessert

verre à vin rouge

1 po. 1 po. 1 po.

bord de la table

Le cinquième service: le dessert.

La cuillère et la fourchette à dessert étaient déjà sur la table avant le repas, au-dessus de l'assiette de présentation. Si un vin est servi avec le dessert, on apporte le verre à vin avec l'assiette à dessert, et on le place au-dessus, légèrement à droite. La salière, la poivrière, les verres salis, l'assiette à fromage, tout est enlevé de la table avant la présentation du dessert.

Fig. 4

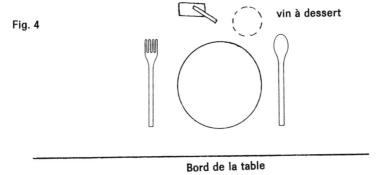

vin à dessert

Bord de la table

COULEURS

Table: couleurs chaudes (brun, orange, jaune, vert avocat)
Menu: couleurs assorties à la table
Vin: rouge foncé

Un milieu de table fait de fruits frais, décoré de fleurs jaunes et oranges, assorties aux couleurs de la décoration ambiante est à conseiller.

Un dîner officiel pour huit

MENU

Cocktail d'écrevisses

Consommé princesse

Filet mignon au poivre vert
Sauce à la crème et sherry aux champignons frais

Endives grillées
ou
Brocoli
Pointes d'asperges blanches

Pommes duchesse

Salade verte et fromages assortis
ou
Fromages et fruits

Demi-tasse

Cognac — liqueur

Chablis (bourgogne blanc)
Sherry sec
Château Franc Mayne (bordeaux rouge)

Le dîner officiel

La mise en place d'un couvert lors d'un dîner officiel est illustrée ci-dessous:

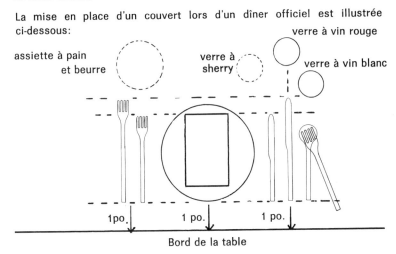

Bord de la table

Au début du repas, aucun mets n'est déjà servi. La fourchette à fruits de mer est placée ici de la façon la plus élégante: retournée, les dents vers le bas, posée dans la cuillère à bouillon. L'assiette à pain et le couteau à beurre sont facultatifs. Si l'on sert du sherry avec la soupe, le verre à sherry devra être placé devant le verre à vin rouge, et légèrement à sa gauche. La serviette de table repose sur l'assiette de présentation.

RECETTES

SAUCE À LA CRÈME AUX CHAMPIGNONS (pour 8)

2 à 3 lb (1 à 1½ kg) de champignons frais (je compte une bonne poignée de champignons par personne)
4 oignons moyens
8 c. à table (120 g) de beurre (non salé)
½ tasse (12 cc) de sherry sec
½ tasse (12 cc) de crème 35%
2 c. à table (30 g) de paprika (doux)
sel
poivre

Coupez les oignons en petits morceaux, faites cuire au beurre. Attention de ne pas brunir. Ajoutez les champignons en tranches. Sel, poivre, paprika. Faites cuire le tout à point. Ajoutez le chorry, bien mêler, puis la crème. Tenez au chaud.

Présentation: La sauce est servie très épaisse sur les filets mignons qui sont préparés au poivre vert.

ENDIVES GRILLÉES

Coupez les endives en longueur. Sel et poivre. Faites griller au beurre rapidement et servir immédiatement.

MANGUES OU PÊCHES AU COINTREAU

Mangues ou pêches fraîches sans peau ni noyaux; coupez en morceaux; faites macérer toute une nuit dans le cointreau. Laissez au réfrigérateur.

Présentation: fruits avec leur jus dans un grand verre ballon avec une boule de crème glacée à la vanille et de la crème fouettée, le tout garni avec une tranche de fruit.
C'est une préparation de dernière minute.

COULEURS

Table: très élégante, aux teintes de blanc et d'or, rehaussées de la verdure naturelle des fleurs
Menu: couleurs assorties à la table
Fleurs: or, blanc, vert (roses bébés jaunes et chrysanthèmes Tokyo blancs)
Vins: or (couleur du Chablis) et rouge

Le grand buffet habillé

MENU

Une grande salade aux homards présentée, dans un bol en cristal, sur des feuilles de laitue et décorée avec des cerises, des morceaux d'ananas et des pointes d'asperges blanches.

Salade d'avocats printanière

Poulet rôti froid
Jambon (ou rôti)
Bologna
Salami

Sur réchaud: zucchinis au four avec fromage

Fromages assortis — craquelins non salés

Pommes grenades et mangues au kirsch

Pêches au grand marnier et crème fouettée

Gâteau aux fruits

Demi-tasse

Champagne

Cognac, liqueur, cordial

RECETTES

SALADE D'AVOCATS PRINTANIÈRE

1 avocat
Jus de citron
6 échalotes
6 radis
laitue
sauce française (voir sauce maison)

Pelez l'avocat, coupez-le en morceaux faciles à manger, arrosez avec du citron; coupez les échalotes en tranches très minces.

Râpez les radis, mélangez les avocats, les échalotes et les radis légèrement. Entassez-les sur la laitue.

Servir frais et croquant. Les invités se versent de la sauce selon leur goût.

ZUCCHINIS AU FOUR AVEC FROMAGE

Chauffez le four à 350 degrés (177°C)
Graissez un plat.
Lavez et coupez les zucchinis en quatre.
Placez dans le plat.
Mettez un peu de beurre sur chaque part de zucchini.
Sel, paprika et poivre noir moulu frais
2 à 3 c. à table (3 à 4 cc) d'eau

Faire cuire 30 à 45 minutes.
Ajoutez un peu de sauce soya et de fromage parmesan rapé sur chaque morceau après 20 minutes.
Continuez la cuisson.

DÉCORATION

Un arrangement très élégant, composé d'oeillets poivrés et de verdure fine, monté sur un chandelier, sera tout à fait approprié.

Le bon mariage des vins — fromages — fruits

Madère, demi-sec	Cheddar fort	Pommes
Champagne, doux	Gervais	Fraises
Aquavit, très froid	Samsoe danois	Raisins blancs
Vin d'Alsace,		
Gewurztraminer	Gruyère, Suisse	Pêches
Whisky	Liederkranz	Prunes
Bordeaux	Roquefort	Oranges
Chambertin,		
première classe	Oka doux	Pommes rouges
Porto, sherry doux	Oka fort	Poires
Champagne	Camembert	Ananas
Chablis	Brie	Raisins bleus
Porto	Stilton	Figues fraîches
Vin blanc sec italien	Gorgonzola	Fraises

DÉCORATION

La meilleure décoration pour un buffet vins et fromages, est un arrangement de fruits frais, mêlés de quelques fleurs fraîches, ou de légumes frais entremêlés de verdure ou de quelques branches naturelles. C'est aussi l'occasion peut-être de faire un montage de quelques fleurs séchées disposées de façon originale.

La réception

MENU

Petits sandwiches à thé assortis:

      au cresson, au concombre,
      aux noix à la mayonnaise,
      au fromage à la crème avec anchois
      au poulet en tranches fines
      au beurre, fromage à la crème et orange râpée
      au beurre fondant, fromage à la crème et pommes
      au concombre, cresson et fromage bleu

Sandwiches roulés à la confiture

Pirozhki à la russe

Petits fours
Biscuits
Gâteau

Crème glacée, salade de fruits

Noix non salées, pelures d'oranges glacées, bonbons, menthes

Thé, lait chaud, sucre en cubes, tranches de citron
Brandy et rhum

Champagne

RECETTE

PIROZHKI À LA RUSSE

La recette traditionnelle pour les pirozhkis russes est faite avec la pâte à la levure. On les cuit au four ou dans un bain d'huile.

Une façon simplifiée: utilisez la pâte à biscuits.

Etendre comme pour les biscuits.

Couper en ronds.

Brosser la crème sure sur les ronds.

Mettre un peu de mélange de poisson, crevettes, viande, poulet ou dinde avec oeufs et mayonnaise, ou un mélange de carottes, oeufs, olives, persil, sel et poivre au milieu de chaque rond.

Ajouter de la saveur avec des cornichons, des câpres ou de la « relish. »

Plier comme une enveloppe et presser les coins ensemble.

Cuire au four pendant 25 minutes à 375 degrés (190°C), (ou jusqu'à ce que légèrement brun).

Servir très chaud.

Le buffet champêtre

MENU

Bâton de pain en prosciutto et
morceaux d'ananas au kirsch

Salade de légumes « do it yourselft »
Sauces assorties

Pain de viande en croûte

Concombres et fenouil
Sauce au persil, cresson, fenouil haché

Petites tomates marinées

Salade de brocoli et chou-fleur
Vinaigrette française rosée

Mousse aux fraises

Café

L'Amphore de Provence (Rosé)
ou
Le cidre de Québec

DÉCORATION

On vide un ananas; la chair, découpée en morceaux, macère dans le kirsch.

Pour faire la décoration, on remplit l'ananas avec la préparation au kirsch; on le referme avec son capuchon. Des bâtons de pain Grisol, enveloppés de prosciutto, sont disposés tout autour, et le tout repose sur un lit de laitue. Les convives se servent eux-mêmes, avec la cuillère de service.

Vous obtiendrez un magnifique milieu de table en mêlant légumes et fleurs. Une composition originale où entrent le maïs, le brocoli, le chou-fleur, les tomates, les poivrons rouges et verts, les zucchinis, les champignons, les choux de Bruxelles, le persil et la laitue romaine sera rehaussée par la présence de fleurs, telles que les oiseaux de paradis, et de branches d'eucalyptus pour donner de la hauteur.

Les petites bouchées

LANGOUSTINES SUR BÂTONNETS

1 lb (½ kg) de langoustines
1 boîte d'ananas en morceaux
24 olives noires sans noyaux
½ tasse (12 cc) de beurre fondu
1 c. à table (15 g) de persil haché
½ c. à table (8 g) de sel d'ail
24 bâtonnets de bambou

1. Enlevez les carapaces, laissez les queues.
2. Egouttez les ananas, gardez ¼ tasse (6 cc) de sirop.
3. Placez sur chacun des 24 bâtonnets de bambou, un morceau de langoustine, un morceau d'ananas et une olive.
4. Mélangez le beurre, le sirop, le persil, et le sel d'ail.
5. Brossez les morceaux avec ce mélange.
6. Faites griller.
7. La sauce qui reste sert à la trempette.

BOUCHÉES AUX PRUNES ET AU POULET

4 poitrines de poulet
1 tasse (227 g) de marmelade de prunes
3 c. à table (4.5 cc) de sauce soya
1 c. à table (1.5 cc) de sherry sec
¼ c. à table (4 g) d'ail en poudre
¼ c. à table (4 g) de gingembre moulu
1 boîte d'ananas
2 gros poivrons verts
24 bâtonnets de bambou

1. Coupez les poitrines en 24 morceaux.
2. Faites le mélange de la marmelade, la sauce soya, le sherry, l'ail, et le gingembre.

3. Faites macérer le poulet toute une nuit dans le mélange.
4. Egouttez les ananas, coupez les poivrons verts en 24 morceaux
5. Sur chaque bâtonnet, placez un morceau de poulet, un morceau d'ananas et un morceau de poivron.
6. Brossez les bouchées avec la sauce.
7. Faites griller.
8. La sauce qui reste sert à la trempette.
Remarque: on peut ajouter de petits oignons.

BOUCHÉES AU TERIYAKI

2 lb (1 kg) de steak
1 boîte d'ananas en morceaux
$\frac{1}{2}$ tasse (12 cc) de sauce Teriyaki
1 c. à table (15 g) de miel
$\frac{1}{4}$ c. à table (4 g) de gingembre moulu
12 échalotes coupées en deux
24 petites tomates
graines de sésame
24 bâtonnets de bambou

1. Coupez la viande en 24 morceaux.
2. Egouttez les ananas, gardez $\frac{1}{4}$ tasse (6 cc) de sirop.
3. Faites le mélange du sirop, de la sauce, du miel et du gingembre.
4. Faites macérer la viande dans le mélange toute une nuit.
5. Placez sur chaque bâtonnet un morceau de viande, un morceau d'ananas et une demi-échalote.
6. Brossez les morceaux avec le mélange.
7. Faites griller.
8. Ajouter les graines de sésame après avoir grillé et ajoutez les petites tomates avant de servir.

BOUCHÉES AUX CHILI-BACON-JAMBON

1 lb (½ kg) de jambon
12 tranches de bacon coupées en deux
1 boîte d'ananas
24 olives farcies
1 tasse (¼ litre) de sauce chili
2 c. à table (3 cc) de beurre fondu
24 bâtonnets de bambou

1. Egouttez les ananas; gardez ¼ de tasse (6 cc) de sirop.
2. Enlevez les morceaux d'ananas dans des demi-tranches de bacon,
3. Placez les morceaux de jambon, les ananas et les olives sur les bâtonnets de bambou.
4. Mélangez la sauce chili avec le beurre fondu, ajoutez le sirop.
5. Brossez les morceaux avec ce mélange.
6. Faites griller.
7. La sauce qui reste sert à la trempette.

Le dîner familial de Noël

MENU

Avocat farci au homard gratiné

La dinde traditionnelle toute apprêtée
        ou
Dinde (ou oie) farcie à la mode polonaise

Chou rouge à la mode allemande

Pommes anglaises

Compote de pommes chaudes

Fromages assortis
Fruits frais

Omelette norvégienne à l'orange

Demi-tasse

Gâteau aux fruits français glacé

Gewurztraminer (vin d'Alsace)
Côtes de nuits Village (bourgogne rouge)
Blanc de Blancs

Cognac
Liqueurs

Glögg suédois

RECETTES

AVOCAT FARCI AU HOMARD

Couper l'avocat en 2 — enlever le noyau.
Chauffer le four à 350 degrés (177°C).
Faire la farce au homard (ci-dessous).
Remplir chaque moitié et couvrir généreusement de fromage suisse râpé.
Cuire les avocats au four pendant 12 à 15 minutes.

Servir très chaud

FARCE AU HOMARD

1 lb (½ kg) de homard frais (ou boîtes de 7¾ oz.)
1 petite boîte de champignons français (tranchés très fin)
2 jaunes d'oeufs
½ tasse (12 cc) de crème 15%
¼ tasse (57 g) de beurre
2 c. à table (3 cc) de sherry sec
Sel et poivre au goût
¼ c. thé (1 g) de muscade en poudre

Briser le homard en petits morceaux. Battre les jaunes d'oeufs et incorporer la crème en brassant bien. Fondre le beurre au dessus de l'eau chaude. Agiter bien tout en ajoutant lo mélange d'oeufs et le sherry peu à peu, sur feu doux. Cuire et remuer constamment jusqu'à ce que la sauce épaississe. Ajouter les assaisonnements, le homard et les champignons. Brasser et réchauffer deux minutes.

Remplir les avocats et cuire au four. (Farce pour 6 à 8 demi-avocats)

FARCE À LA MODE POLONAISE POUR DINDE OU OIE

Peler et enlever le coeur de pommes rouges, les couper en quartiers. Mélanger avec ½ tasse (114 g) de raisins de Corinthe, ½ tasse (114 g) de raisins dénoyautés et ½ tasse (114 g) d'amandes tranchées.

Remplir fermement l'oiseau — fermer — cuire comme d'habitude.

CHOU ROUGE À LA MODE ALLEMANDE

1 chou rouge moyen (tranché fin)
4 grosses pommes rouges (pelées et coupées en quatre)
2 gros oignons (tranchés fin)
1 c. à table (15 g) de sucre
2 c. à table (3 cc) de vinaigre de vin
½ tasse (12 cc) de vin rouge sec (ou champagne ou eau)
2 feuilles de laurier (moyennes)
4 clous de girofle entiers
6 grains entiers de poivre noir
Sel au goût
½ tasse (114 g) de graisse de porc

Dans une grande casserole, faire fondre la graisse de porc, ajouter le chou rouge, les oignons, les pommes, les assaisonnements et les liquides. Cuire jusqu'à ébullition et ensuite laisser mijoter 4 à 5 heures jusqu'à ce que le chou devienne tendre et bleu-rouge foncé. D'après la vieille tradition, on cuisine le chou la veille et le lendemain on le réchauffe. C'est censé être plus savoureux. (4 portions seulement).

OMELETTE NORVÉGIENNE À L'ORANGE

6 oranges de la même grosseur
1 pinte (1.4 litre) de sorbet à l'orange ou crème glacée
2 blancs d'oeufs
¼ c. à thé (1 g) de crème de tartre
2 c. à thé (10 g) de sucre
Pincée de sel
Colorant orange

Couper une tranche fine à la base de l'orange pour l'empêcher de rouler sur une plaque à pâtisserie. Couper le haut, enlever entièrement la chair de l'orange, laisser seulement la pelure. Denteler le bord, si désiré. Farcir avec sorbet ou crème glacée et garder au congélateur. Entre-temps, battre les blancs d'oeufs en neige avec la crème de tartre, ajouter une goutte de colorant orange, le sucre et le sel. Couvrir chaque orange de cette meringue tout en formant de petits pics. Placer sur une plaque à pâtisserie au four préchauffé à 500 degrés (260°C) jusqu'à ce que la meringue soit dorée (2 à 3 minutes).
Servir immédiatement (pour 6 personnes)

GÂTEAU AUX FRUITS FRANÇAIS GLACÉ

1 tasse (227 g) de beurre
2½ tasses (½ kg. de sucre brun foncé (tassé)
4 oeufs
4 tasses (900 g) de farine tout usage
½ c. à thé (2.5 g) de tout-épice

½ c. à thé (2.5 g) de gingembre moulu
½ c. à thé (2.5 g) de clou de girofle
1 c. à thé (5 g) de cannelle
1 c. à thé (5 g) de muscade rapée
1½ c. à thé (8 g) de sel
1 c. à thé (5 g) de bicarbonate de soude
1 tasse (¼ litre) de jus d'orange
⅓ tasse (8 cc) de brandy ou de rhum
1½ tasse (340 g) de pruneaux secs coupés en morceaux
1½ tasse (340 g) d'abricots secs coupés en morceaux
2 tasses (450 g) d'amandes
Glace pour gâteau*

Fouetter légèrement le beurre avec le sucre jusqu'à ce qu'il soit duveteux. Ajouter les oeufs et battre jusqu'à ce que ce soit crémeux. Tamiser la farine avec les épices, le sel et le bicarbonate de soude. Mélanger le jus de fruits et le brandy ou le rhum. Placer les fruits et les amandes hachées dans un bol et saupoudrer d'une demi-tasse (114 g) de la farine épicée.

Ajouter le reste de la farine alternativement avec le liquide dans le mélange crémeux. Bien mélanger. Joindre les fruits et les amandes et mélanger.

Etendre ce mélange dans un moule à pain de 11 X 4 pouces (10 X 30 cm env.) d'une feuille d'aluminium. Disposer des pruneaux secs entiers et des abricots secs entiers sur le mélange sucré et placer des amandes entières autour de ces fruits.

Verser lentement la pâte. Attention à l'arrangement! Cuire à 325 degrés (160°C) pendant deux heures. Laisser refroidir

* Pour la glace du gâteau: faire fondre ¼ tasse (57 g) de beurre. Ajouter 1 tasse (227 g) de cassonade (sucre brun) et 2 c. à table (3 cc) de brandy ou du rhum, bien mélanger.

sur une grille durant 20 minutes. Retourner et laisser reposer 10 minutes. Démouler avec précaution.

Ce gâteau peut se garder longtemps si on l'enveloppe dans un papier ciré ou d'aluminium et si on le brosse de temps en temps avec du brandy ou du rhum.

GLÖGG SUÉDOIS

1 bouteille d'aquavit suédois ou d'aquavit aalbord
2 bouteilles de bourgogne ou d'autre vin rouge sec
5 clous de girofles (entiers)
1 tasse (227 g) d'amandes blanches, tranchées
1 tasse (227 g) de raisins
1½ pouce (4 cm) de bâtonnet de cannelle
1 lb (½ kg) de sucre en cubes ou un pain de sucre

Verser l'alcool et le vin dans une casserole. Ajouter tous les ingrédients, sauf le sucre. Couvrir et chauffer lentement jusqu'au point d'ébullition. Retirer du feu juste avant la cuisson. Mettre le sucre dans un tamis à manche long. Tamiser le sucre dans le liquide chaud pour le mouiller. Allumer et faire brûler le sucre. (Très joli dans une pièce sombre!) Continuer à tamiser le sucre dans le liquide jusqu'à ce qu'il ait fondu dans le glögg. Couvrir la casserole pour éteindre la flamme. Servir chaud dans des verres à vin avec quelques raisins et amandes dans chaque verre, et ajouter une pincée de muscade, si désiré.

Table des matières

Ouvrages parus chez les Éditeurs du groupe Sogides

Ouvrages parus aux ÉDITIONS DE L'HOMME

ART CULINAIRE

Art d'apprêter les restes (L'), S. Lapointe,
Art de la table (L'), M. du Coffre,
Art de vivre en bonne santé (L'), Dr W. Leblond,
Boîte à lunch (La), L. Lagacé,
101 omelettes, M. Claude,
Cocktails de Jacques Normand (Les), J. Normand,
Congélation (La), S. Lapointe,
Conserves (Les), Soeur Berthe,
Cuisine chinoise (La), L. Gervais,
Cuisine de maman Lapointe (La), S. Lapointe,
Cuisine de Pol Martin (La), Pol Martin,
Cuisine des 4 saisons (La), Mme Hélène Durand-LaRoche,
Cuisine en plein air, H. Doucet,
Cuisine française pour Canadiens, R. Montigny,
Cuisine italienne (La), Di Tomasso,
Diététique dans la vie quotidienne, L. Lagacé,
En cuisinant de 5 à 6, J. Huot,
Fondues et flambées de maman Lapointe, S. Lapointe,
Fruits (Les), J. Goode,

Grande Cuisine au Pernod (La), S. Lapointe,
Hors-d'oeuvre, salades et buffets froids, L. Dubois,
Légumes (Les), J. Goode,
Madame reçoit, H.D. LaRoche,
Mangez bien et rajeunissez, R. Barbeau,
Poissons et fruits de mer, Soeur Berthe,
Recettes à la bière des grandes cuisines Molson, M.L. Beaulieu,
Recettes au "blender", J. Huot,
Recettes de gibier, S. Lapointe,
Recettes de Juliette (Les), J. Huot,
Recettes de maman Lapointe, S. Lapointe,
Régimes pour maigrir, M.J. Beaudoin,
Tous les secrets de l'alimentation, M.J. Beaudoin,
Vin (Le), P. Petel,
Vins, cocktails et spiritueux, G. Cloutier,
Vos vedettes et leurs recettes, G. Dufour et G. Poirier,
Y'a du soleil dans votre assiette, Georget-Berval-Gignac,

DOCUMENTS, BIOGRAPHIE

Architecture traditionnelle au Québec (L'), Y. Laframboise,
Art traditionnel au Québec (L'), Lessard et Marquis,
Artisanat québécois 1. Les bois et les textiles, C. Simard,

Artisanat québécois 2. Les arts du feu, C. Simard,
Acadiens (Les), E. Leblanc,
Bien-pensants (Les), P. Berton,
Ce combat qui n'en finit plus, A. Stanké,-J.L. Morgan,

Charlebois, qui es-tu?, B. L'Herbier,

Comité (Le), M. et P. Thyraud de Vosjoli,

Des hommes qui bâtissent le Québec,
collaboration,

Drogues, J. Durocher,

Epaves du Saint-Laurent (Les),
J. Lafrance,

Ermite (L'), L. Rampa,

Fabuleux Onassis (Le), C. Cafarakis,

Félix Leclerc, J.P. Sylvain,

Filière canadienne (La), J.-P. Charbonneau,

Francois Mauriac, F. Seguin,

Greffes du coeur (Les), collaboration,

Han Suyin, F. Seguin,

Hippies (Les), Time-coll.,

Imprévisible M. Houde (L'), C. Renaud,

Insolences du Frère Untel, F. Untel,

J'aime encore mieux le jus de betteraves,
A. Stanké,

Jean Rostand, F. Seguin,

Juliette Béliveau, D. Martineau,

Lamia, P.T. de Vosjoli,

Louis Aragon, F. Seguin,

Magadan, M. Solomon,

Maison traditionnelle au Québec (La),
M. Lessard, G. Vilandré,

Maîtresse (La), James et Kedgley,

Mammifères de mon pays,
Duchesnay-Dumais,

Masques et visages du spiritualisme
contemporain, J. Evola,

Michel Simon, F. Seguin,

Michèle Richard raconte Michèle Richard,
M. Richard,

Mon calvaire roumain, M. Solomon,

Mozart, raconté en 50 chefs-d'oeuvre,
P. Roussel,

Nationalisation de l'électricité (La),
P. Sauriol,

Napoléon vu par Guillemin, H. Guillemin,

Objets familiers de nos ancêtres, L. Ver-
mette, N. Genêt, L. Décarie-Audet,

On veut savoir, (4 t.), L. Trépanier,

Option Québec, R. Lévesque,

Pour entretenir la flamme, L. Rampa,

Pour une radio civilisée, G. Proulx,

Prague, l'été des tanks, collaboration,

Premiers sur la lune,
Armstrong-Aldrin-Collins,

Prisonniers à l'Oflag 79, P. Vallée,

Prostitution à Montréal (La),
T. Limoges,

Provencher, le dernier des coureurs
des bois, P. Provencher,

Québec 1800, W.H. Bartlett,

Rage des goof-balls (La),
A. Stanké, M.J. Beaudoin,

Rescapée de l'enfer nazi, R. Charrier,

Révolte contre le monde moderne,
J. Evola,

Riopelle, G. Robert,

Struma (Le), M. Solomon,

Terrorisme québécois (Le), Dr G. Morf,

Ti-blanc, mouton noir, R. Laplante,

Treizième chandelle (La), L. Rampa,

Trois vies de Pearson (Les),
Poliquin-Beal,

Trudeau, le paradoxe, A. Westell,

Un peuple oui, une peuplade jamais!
J. Lévesque,

Un Yankee au Canada, A. Thério,

Une culture appelée québécoise,
G. Turi,

Vizzini, S. Vizzini,

Vrai visage de Duplessis (Le),
P. Laporte,

ENCYCLOPEDIES

Encyclopédie de la maison québécoise,
Lessard et Marquis,

Encyclopédie des antiquités du Québec,
Lessard et Marquis,

Encyclopédie des oiseaux du Québec,
W. Earl Godfrey,

Encyclopédie du jardinier horticulteur,
W.H. Perron,

Encyclopédie du Québec, Vol. I et Vol. II,
L. Landry,

ESTHETIQUE ET VIE MODERNE

Cellulite (La), Dr G.J. Léonard,
Chirurgie plastique et esthétique (La),
   Dr A. Genest,
Embellissez votre corps, J. Ghedin,
Embellissez votre visage, J. Ghedin,
Etiquette du mariage, Fortin-Jacques,
   Farley,
Exercices pour rester jeune, T. Sekely,
Exercices pour toi et moi,
   J. Dussault-Corbeil,
Face-lifting par l'exercice (Le),
   S.M. Rungé,
Femme après 30 ans (La), N. Germain,

Femme émancipée (La), N. Germain et
   L. Desjardins,
Leçons de beauté, E. Serei,
Médecine esthétique (La),
   Dr G. Lanctôt,
Savoir se maquiller, J. Ghedin,
Savoir-vivre, N. Germain,
Savoir-vivre d'aujourd'hui (Le),
   M.F. Jacques,
Sein (Le), collaboration,
Soignez votre personnalité, messieurs,
   E. Serei,
Vos cheveux, J. Ghedin,
Vos dents, Archambault-Déom,

LINGUISTIQUE

Améliorez votre français, J. Laurin,
Anglais par la méthode choc (L'),
   J.L. Morgan,
Corrigeons nos anglicismes, J. Laurin,
Dictionnaire en 5 langues, L. Stanké,

Petit dictionnaire du joual au français,
   A. Turenne,
Savoir parler, R.S. Catta,
Verbes (Les), J. Laurin,

LITTERATURE

Amour, police et morgue, J.M. Laporte,
Bigaouette, R. Lévesque,
Bousille et les justes, G. Gélinas,
Berger (Les), M. Cabay-Marin, Ed. TM,
Candy, Southern & Hoffenberg,
Cent pas dans ma tête (Les), P. Dudan,
Commettants de Caridad (Les),
   Y. Thériault,
Des bois, des champs, des bêtes,
   J.C. Harvey,
Ecrits de la Taverne Royal, collaboration,
Exodus U.K., R. Rohmer,
Exxoneration, R. Rohmer,
Homme qui va (L'), J.C. Harvey,
J'parle tout seul quand j'en narrache,
   E. Coderre,
Malheur a pas des bons yeux (Le),
   R. Lévesque,
Marche ou crève Carignan, R. Hollier,
Mauvais bergers (Les), A.E. Caron,

Mes anges sont des diables,
   J. de Roussan,
Mon 29e meurtre, Joey,
Montréalités, A. Stanké,
Mort attendra (La), A. Malavoy,
Mort d'eau (La), Y. Thériault,
Ni queue, ni tête, M.C. Brault,
Pays voilés, existences, M.C. Blais,
Pomme de pin, L.P. Dlamini,
Printemps qui pleure (Le), A. Thério,
Propos du timide (Les), A. Brie,
Séjour à Moscou, Y. Thériault,
Tit-Coq, G. Gélinas,
Toges, bistouris, matraques et soutanes,
   collaboration,
Ultimatum, R. Rohmer,
Un simple soldat, M. Dubé,
Valérie, Y. Thériault,
Vertige du dégoût (Le), E.P. Morin,

LIVRES PRATIQUES – LOISIRS

Aérobix, Dr P. Gravel,
Alimentation pour futures mamans,
   T. Sekely et R. Gougeon,

Améliorons notre bridge, C. Durand,
Apprenez la photographie avec Antoine
   Desilets, A. Desilets,

LE MONDE DES AFFAIRES ET LA LOI

PATOF

SANTE, PSYCHOLOGIE, EDUCATION

Activité émotionnelle (L'), P. Fletcher,
Allergies (Les), Dr P. Delorme,
Apprenez à connaître vos médicaments,
 R. Poitevin,
Caractères et tempéraments,
 C.-G. Sarrazin,
Comment animer un groupe,
 collaboration,
Comment nourrir son enfant,
 L. Lambert-Lagacé,
Comment vaincre la gêne et la timidité,
 R.S. Catta,
Communication et épanouissement
 personnel, L. Auger,
Complexes et psychanalyse,
 P. Valinieff,
Contact, L. et N. Zunin,
Contraception (La), Dr L. Gendron,
Cours de psychologie populaire,
 F. Cantin,
Dépression nerveuse (La), collaboration,
Développez votre personnalité,
 vous réussirez, S. Brind'Amour,
Douze premiers mois de mon enfant (Les),
 F. Caplan,
Dynamique des groupes,
 Aubry-Saint-Arnaud,
En attendant mon enfant,
 Y.P. Marchessault,
Femme enceinte (La), Dr R. Bradley,
Guérir sans risques, Dr E. Plisnier,
Guide des premiers soins, Dr J. Hartley,

Guide médical de mon médecin de famille,
 Dr M. Lauzon,
Langage de votre enfant (Le),
 C. Langevin,
Maladies psychosomatiques (Les),
 Dr R. Foisy,
Maman et son nouveau-né (La),
 T. Sekely,
Mathématiques modernes pour tous,
 G. Bourbonnais,
Méditation transcendantale (La),
 J. Forem,
Mieux vivre avec son enfant, D. Calvet,
Parents face à l'année scolaire (Les),
 collaboration,
Personne humaine (La), Y. Saint-Arnaud,
Pour bébé, le sein ou le biberon,
 Y. Pratte-Marchessault,
Pour vous future maman, T. Sekely,
15/20 ans, F. Tournier et P. Vincent,
Relaxation sensorielle (La), Dr P. Gravel,
S'aider soi-même, L. Auger, 4.00
Soignez-vous par le vin, Dr E. A. Maury,
Volonté (La), l'attention, la mémoire,
 R. Tocquet,
Vos mains, miroir de la personnalité,
 P. Maby,
Votre personnalité, votre caractère,
 Y. Benoist-Morin,
Yoga, corps et pensée, B. Leclerq,
Yoga, santé totale pour tous,
 G. Lescouflar,

SEXOLOGIE

Adolescent veut savoir (L'),
 Dr L. Gendron,
Adolescente veut savoir (L'),
 Dr L. Gendron,
Amour après 50 ans (L'), Dr L. Gendron,
Couple sensuel (Le), Dr L. Gendron,
Déviations sexuelles (Les), Dr Y. Léger,
Femme et le sexe (La), Dr L. Gendron,
Helga, E. Bender,
Homme et l'art érotique (L'),
 Dr L. Gendron,
Madame est servie, Dr L. Gendron,

Maladies transmises par relations
 sexuelles, Dr L. Gendron,
Mariée veut savoir (La), Dr L. Gendron,
Ménopause (La), Dr L. Gendron,
Merveilleuse histoire de la naissance (La),
 Dr L. Gendron,
Qu'est-ce qu'un homme, Dr L. Gendron,
Qu'est-ce qu'une femme, Dr L. Gendron,
Quel est votre quotient psycho-sexuel?
 Dr L. Gendron,
Sexualité (La), Dr L. Gendron,
Teach-in sur la sexualité,
 Université de Montréal,
Yoga sexe, Dr L. Gendron et S. Piuze,

SPORTS (collection dirigée par Louis Arpin)

ABC du hockey (L'), H. Meeker,
Aikido, au-delà de l'agressivité,
 M. Di Villadorata,
Bicyclette (La), J. Blish,

Comment se sortir du trou au golf,
 Brien et Barrette,
Courses de chevaux (Les), Y. Leclerc,

Ouvrages parus à
L'ACTUELLE

Fille laide (La), Y. Thériault
Fréquences interdites, P.-A. Bibeau
Fuite immobile (La), G. Archambault
Jeu des saisons (Le),
   M. Ouellette-Michalska
Marche des grands cocus (La),
   R. Fournier
Monsieur Isaac, N. de Bellefeuille et
   G. Racette
Mourir en automne, C. de Cotret
N'Tsuk, Y. Thériault
Neuf jours de haine, J.J. Richard
New Medea, M. Bosco

Ossature (L'), R. Morency
Outaragasipi (L'), C. Jasmin
Petite fleur du Vietnam (La),
   C. Gaumont
Pièges, J.J. Richard
Porte Silence, P.A. Bibeau
Requiem pour un père, F. Moreau
Scouine (La), A. Laberge
Tayaout, fils d'Agaguk, Y. Thériault
Tours de Babylone (Les), M. Gagnon
Vendeurs du Temple (Les), Y. Thériault
Visages de l'enfance (Les), D. Blondeau
Vogue (La), P. Jeancard

Les nouvelles parutions aux Editions de l'Homme

Art culinaire

Brasserie la Mère Clavet vous présente ses
   recettes (La), L. Godon
Bonne Table (La), J. Huot
Canapés et amuse-gueule, Col. La Bonne
   Fourchette
Confitures (Les), M. Godard
Cuisine aux herbes (La), Col. La Bonne
   Fourchette
Cuisine Micro-ondes (La), J. Benoît
Cuisiner avec le robot gourmand, P. Martin
Desserts diététiques, C. Poliquin
Du Potager à la table, P. Martin et P. Pouliot
Fondue et barbecue, Col. La Bonne Fourchette
Gastronomie au Québec (La), A. Benquet
Grillades (Les), Col. La Bonne Fourchette
Liqueurs et philtres d'amour, H. Morasse
Madame reçoit, H. Durand-Laroche
Menu de santé, L. Lambert-Lagacé
Poissons et crustacés, Col. La Bonne
   Fourchette
Poulet à toutes les sauces (Le), M. Thyraud de
   Vosjoli
Recettes pour aider à maigrir, Dr J.-P. Ostiguy
Techniques culinaires de Soeur Berthe (Les),
   Soeur Berthe

Documents, biographies

Action Montréal, S. Joyal
Artisanat québécois 3. Indiens et esquimaux,
   C. Simard
Duplessis T. 1 L'Ascension, C. Black
Duplessis T. 2 Le Pouvoir, C. Black
Grand livre des antiquités, K. Bell et J. et E.
   Smith
Homme et sa mission (Un), Le Cardinal Léger
   en Afrique, K. Bell et H. Major
Idole d'un peuple, Maurice Richard (L'), J.-M.
   Pellerin
Margaret Trudeau, F. Cochrane
Mastantuono, M. Mastantuono et M. Auger
Moulins à eau de la vallée du Saint-Laurent
   (Les), F. Adam-Villeneuve et C. Felteau
Musique au Québec (1600-1875) (La), W.
   Amtmann
Option (L'), J.-P. Charbonneau et G. Paquette

Petite Barbe (La), Père A. Steinman
Québec des libertés (Le), Parti Libéral du
   Québec
Troisième voie (La), E. Colas
Voleur (Le), C. Jodoin

Encyclopédies

Encyclopédie de la chasse, B. Leiffet
Photo de A à Z (La), A. Desilets, L.-P. Coiteux et
   C. M. Gariépy

Esthétique et vie moderne

Savoir-vivre d'aujourd'hui (Le), M.
   Fortin-Jacques (Edition revue et corrigée)

Linguistique

Français au Football (Le), Ligue Canadienne
   de Football
Notre français et ses pièges, J. Laurin

Littérature

Cap sur l'enfer, I. Slater
Joey Tue, Joey
Joey, tueur à gages, (Killer — Joey)
Monde aime mieux (Le), C. Desrochers
Séparation, R. Rohmer
Si tu savais, G. Dor

Livres pratiques, loisirs

Bien dormir, Dr J. C. Paupst
Bien nourrir son chat, C. d'Orangeville
Bien nourrir son chien, C. d'Orangeville
Bonnes idées de maman Lapointe (Les), L.
   Lapointe
Carte et boussole, B. Kjellstrom
Chaînes stéréophoniques (Les) (Ed. revue et
   corrigée), G. Poirier
Collectionner les timbres, Y. Taschereau
Comment interpréter les gestes, L. Stanké
Dictionnaire raisonné des mots croisés, J.
   Charron
Distractions mathématiques, C. E. Jean
Gagster, C. Landré
Guide de la moto, D. Héraud
Guide de l'automobile 1978, D. Héraud

Le Monde des affaires et la loi

Santé, Psychologie, éducation

Sexologie

Sports

Bricolage Maison

A paraître:

Imprimé au Canada

Printed in Canada